남킹 장편소설 미리보기

남킹

https://brunch.co.kr/@wonmar

소설가. 남킹 컬렉션 #001 - #444 출간을 목표로 합니다.

스페인 알리칸테 거주.

발 행 | 2024-01-29

저 자 | 남킹

펴낸이 | 한건희

펴낸곳 | 주식회사 부크크

출판사등록 | 2014.07.15(제2014-16호)

주 소 | 서울 금천구 가산디지털1로 119, A동 305호

전 화 | 1670 - 8316

이메일 | info@bookk.co.kr

ISBN | 979-11-410-6914-8

본 책은 브런치 POD 출판물입니다.

https://brunch.co.kr

www.bookk.co.kr

남킹 장편소설 미리보기

브런치 스토리

남킹

목차

마르 데페스에게 이 책을 바칩니다.

남킹 컬렉션

#001 그레고리 흘라디의 묘한 죽음

#002 거짓과 상상 혹은 죄와 벌

#003 신의 땅 물의 꽃

#004 심해

#005 당신을 만나러 갑니다.

#006 블루드래곤 744

#007 꿈은 이루어진다.

#008 파벨 예언서

#009 떠날 결심

#010 리셋

#011 1월의 비

스네이크 아일랜드 #1

낚킹 판타지 스릴러

죽음

할머니가 돌아가셨다. 나는 이제 고아나 마찬가지다. 아버지는 내가 세상에 나오기 전에 떠났고, 어머니는 내가 태어나자 나를 버렸다.

형사는 비대했다. 방금 돼지 국밥집에서 나왔는지 누린내를 풍겼다.

"뺑소니야. 잡고 보니 어린 노무 새끼가 무면허에 술이 떡이 되어서…. 어휴! 말세야 말세."
그는 혀를 끌끌 찼다.
"할머니 시신 한번 볼겨? 안 보는 게 좋긴 한데."
그는 빨리 끝내고 쉬고 싶은 눈치였다.
할머니의 모습은 기괴했다. 얼굴 절반이 사라졌다. 나머지도 형체를 알아볼 수가 없다. 몸은 뒤틀리고 배는 터져 창자가 너덜너덜했다. 마치 도로변에 버려진 멧돼지 같았다.
"그나마 여기 직원이 대충 끼워 맞추긴 했는데…."
형사는 이쑤시개로 빼낸 고기 조각을 손가락으로 튕기며 말했다.

할머니의 장례식은 썰렁했다. 동네 주민 몇 명과 할머니가 운영했던

1,000원 분식집 단골 서너 명이 다녀간 게 고작이다. 나는 줄곧 장례식장 복도로 지나치는 사람들을 쳐다봤다. 그거 말고 딱히 할 게 없었다.

****

아버지라고 주장하는 사람이, 귀신같이 장례식이 끝나자마자 나타났다. 그는 할머니보다 더 늙고 병들어 보였다. 하지만 눈빛만큼은 탐욕스럽게 반짝였다.

"그동안 잘 있었나?"

그는 좁고 낡은 방을 한번 둘러봤다. 그리고 냉장고 문을 벌컥 열었다.

"야! 니도 딱하게 산다! 물밖에 없네."

그는 주머니에서 꼬깃꼬깃하게 찌든 만 원짜리 한 장을 꺼내 내게 내밀었다.

"소주하고 안줏거리 좀 사 오너라."

나는 검은 봉투에 소주와 번데기 통조림을 담아 집으로 돌아왔다. 그는 소주 한 병을 꿀꺽꿀꺽 삼켜 병나발을 불더니 집 안 구석구석을 뒤지기 시작했다.

"너거 할매가 꿍쳐놓은 꽁짓돈이 어디 있을 텐데."

잡동사니 물건이 사방으로 흩어졌다. 나는 그 순간 할머니의 몸 쪼가리가 공중으로 흩날리는 상상을 했다. 눈알, 혓바닥, 찢겨 나간 피부, 불꽃놀이처럼 퍼지는 핏덩어리, 스프링을 닮은 창자, 으스러진 뼛조각.

아버지는 분식집을 팔고 내가 사는 빌라 전세금을 뺀 뒤 떠났다. 가기 전 그는 내게 오만 원짜리 지폐 2장을 손에 쥐여 주었다. 그리고 말했다.
“너도 이제 스무 살이니 사회생활 해야 안 되겠나.”
그동안 나는 꽤 많이 집에서 놀았다. 이제는 어쩔 수 없이 살기 위해 직장을 잡아야만 했다. 가만 생각해보니 나나 아버지나 할머니에게 기생충인 것은 마찬가지였다. 부전자전.
나는 이력서를 쓰려고 노력했다. 하지만 딱 한 줄 - 고등학교 자퇴 - 이후, 쓸 이력이 없었다. 그래서 삼십 분 정도 고민하다 허위 이력을 만들기로 작정했다. 그건 내게 꽤 쉬운 일이었다.
나는 컴퓨터를 또래보다 잘 다루었다. 물론 시간 대부분을 게임으로 소진했지만, 한 번씩 나의 미래를 진지하게 고려하여, 프로그래밍이나 디자인 혹은 해킹을 공부하곤 하였다. 그리고 실전에 응용하기도 하였다.
내가 다닌 학교의 학사 행정 프로그램을 해킹하여, 시험 문제 유출이나 나의 성적을 조작하던가, 쭉쭉 빵빵 여전사의 야한 이미지로 섹스 애니메이션을 만들어 친구에게 팔던가 혹은 유료 포르노 사이트를 해킹하여 동영상을 모두 긁어모아 CD로 구워 팔기도 했다.

사실 CD 장사는 제법 잘나가는 사업 아이템이었다. 잘 될 때는 전국적으로 매일 수십 군데에 CD를 보내곤 하였다. 나를 유심히 지켜본 우체국 여직원의 신고가 있기 전까지는 말이다.
불과 한 시간 만에 나의 이력서는 날개를 달았다. 비록 고졸이지만 각종 소프트웨어 우승 경력이 있다고 자랑했다. 물론 우승 트로피와 상장은 뽀샵으로 이미지 조작해 관련 자료로 첨부했다.

'알게 뭐람. 들키면 퇴사하면 되는 거고.'

나는 취업 사이트 전용 매크로 프로그램도 만들었다. 그리고 숨죽이며 엔터 버튼을 눌렀다. 그러자 프로그래밍 관련 모든 채용 공고에 자동으로 내 이력서가 하나하나 등록되기 시작했다. 불과 몇 분 만에 오천여 건이 등록되었다. 나는 이제 느긋하게 침대에 누웠다. 그리고 앞으로 펼쳐질 내 인생을 잠깐 추측하다 관두었다.

'설마, 굶기야 하겠어?'

****

"직장 경험은 처음 인가요?"

기분 나쁘게 생긴 면접관은 내게 뻔한 질문을 했다.

'이력서에 다 있잖아! 첫 경험이라고. 너 바보니?'

나는 이렇게 묻고 싶었다.

"네, 남들처럼 대학을 갈까 하다가 시간 낭비일 것 같아서…. 제가 밥보다 좋아하는 프로그램 개발에 뛰어들었습니다."

면접관은 흡족한 듯 고개를 끄덕였다.

"여기 프로그램 개발 이력에 노래방 시스템 구축도 있던데 직접 개발하신 건가요?"

"네. 제가 직접 다 개발했습니다."

당연하게도 거짓말이다. 하지만 나는 당당하게 즉각 대답했다.

"이제 너 볼 일 두 번 다시 없을 것 같아서, 내 이 한마디만 하고 가께."

아버지는 방문을 열고 나가려다 갑자기 뒤돌아서서 내게 한마디를

툭 던졌다.

"세상은 말이야…. 속고 속이는 거야. 알겠제. 명심하고 잘 살아라."

"혹시 이 프로그램 제가 볼 수 있을까요?"

면접관은 게슴츠레한 눈으로 나의 얼굴을 뚫어질 듯이 바라보며 물었다.

"물론 볼 수 있습니다. 그런데 혹시 왜 필요하신가요?"

"아, 예전에 온라인 노래방 시스템을 기획한 적이 있습니다. 그런데 마땅한 개발자가 없어서 미루고 있었는데, 만약 프로그램이 좋다면…."

"<황홀한 노래방> 사이트 아시죠?"

"네. 알고 있습니다. 그럼 그 사이트 노래방 시스템을 직접 구현하신 건가요?"

"네. 제 소스를 기반으로 만들었습니다."

"그럼 그 소스 볼 수 있나요?"

"그건 곤란합니다. 계약 위반으로 저는 잡혀갑니다."

"그럼 혹시 우리 회사에 입사하게 된다면?"

"그러면 가능은 합니다. 단, 제가 최소한 일 년 정도 이 회사에 근무한 다음, 그리고 소스를 아주 많이 수정하여 완전히 다른 제품이라고 착각을 할 정도가 되면 제공하겠습니다."

"그럼 그렇게 하시죠. 우리 회사에 입사하는 걸로."

"네. 언제부터 출근할까요?"

남킹 컬렉션 #017

스네이크 아일랜드

1권

죽고싶지만 복수는 하고 싶어

남킹 판타지 스릴러

남킹 컬렉션
심해
deep ocean
남킹 SF 장편소설

스네이크 아일랜드 #2

남궁 판타지 스릴러

직장

내 책상은 사무실 중앙 복도 바로 옆이었다. 오고 가는 직원이 손쉽게 내 모니터를 볼 수 있는 위치였다.

'젠장, 딴짓하기는 글렀네.'

눈을 들어 주위를 살펴보니 대충 스무 명쯤 되는 개발자가 파티션으로 나뉜 각자의 영역에 머물고 있었다. 다들 모니터에 코를 박고 마우스와 키보드를 분주하게 놀리고 있었다.

'다들 열심히 산다!'

아침이었지만 무척 피곤했다. 계속해서 하품이 나왔다. 지겹게 뒹굴었던 방구석이 그리웠다.

'아, 한숨 자고 라면 하나 때리고 시작했으면 딱 좋겠는데.'

나는 빈 책상에 덩그러니 누워있는 노트북을 펼쳤다. 윈도 설치 초기 화면이 떴다.

"조필호씨 맞으시죠?"

고개를 들어 보니 머리숱이 그다지 많지 않은 중년의 남자가 미소를 짓고 있었다.

"네. 그렇습니다만…."

"반갑습니다. 총괄이사 남상호입니다. 잠시 회의실에서 뵐 수 있을까요? 저를 따라오시죠."

그는 무척 예의 바르게 나를 대했다. 첫인상이 죽은 할머니처럼 편안했다.
회의실에는 젊고 날카롭게 보이는 직원이 이미 앉아있었다. 그는 이사를 보자 잠시 엉덩이를 들어 격식을 차리곤 내게 앉을 자리를 소개했다.
"이쪽은 우리 김민호 개발 팀장입니다."
김 팀장은 내게 명함을 내밀었다. 나는 신기한 듯 그것을 바라봤다. 칠흑같이 까만 바탕에 회사 로고가 반짝였다.
"명함에 신경을 좀 썼어요. 조필호씨도 곧 받을 겁니다."
그는 나의 호기심을 단박에 알아챘다. 나는 기분이 좋아졌다.
'저렇게 멋진 명함이라면 남들 속이기에 딱이지.'
****
윈도 및 개발 도구 설치가 끝나자 우리 회사 주력 상품인 웹 기반 ERP 소스 분석 요구가 내게 떨어졌다. 동시에 여직원이 내게 백과사전보다 더 두꺼운 사용자 매뉴얼을 던져 주고 갔다. 회계, 인사, 물류, 생산 별로 각각의 사용 방법이 캡처한 이미지와 함께 자세하게 실려 있었다. 그걸 들여다보니 저절로 한숨이 나왔다.
'젠장, 이걸 어느 세월에 읽고 어느 세월에 분석한담?"
가뜩이나 회계는 내가 끔찍하게 싫어하는 것 중의 하나였다. 프로그램을 띄우고 매뉴얼에 따라 하나하나 꾹꾹 눌러보지만, 눈동자는 끊임없이 모니터 오른쪽 아래 끝에 있는 시계로 향했다. 하지만 세상이 멈춘 듯 시간은 좀처럼 흐르지 않았다.
'더럽게 시간 안 가네.'
오전을 혼몽한 상태로 보냈다. 중간에 뛰쳐나갈까도 여러번 생각했다. 하지만 그랬다간 굶어 죽기 딱 알맞다. 할머니가 그리워지기 시작했다. 냉장고에 늘 가득했던, 지겹기 짝이 없는, 팔다 남은 떡볶이, 순대, 간, 염통, 허파, 콩팥, 오소리감투, 새끼보가 새삼 먹고 싶어졌다.

'살다 살다 돼지 내장이 그리워질 때도 있네.'

"어떻게 할만합니까?"

김 팀장이 어느새 슬그머니 다가와 칸막이에 팔을 걸친 채 내게 물었다.

'야이 시팔! 그게 지금 내게 할 소리야! 세상에서 가장 지겨운 거 던져 주고는 할만하냐고? 이 더러운 돼지 새끼야! 확! 그냥 내장이나 만들어 먹을까 보다.'

"네. 생각보다 꽤 정성스럽게 만들었다는 게 피부로 와 닿습니다. 그동안 고생 많이 하셨겠습니다."

김 팀장은 흐뭇한 표정으로 고개를 끄덕였다.

"그럼, 우리 점심이나 같이할까요? 오늘 첫날이니까 제가 쏘겠습니다."

"아, 그래도 괜찮을까요?"

"걱정하지 마십시오. 회사에서 내는 겁니다. 뭐 좋아하십니까?"

"저는 뭐든지 다 좋습니다."

"음…. 그러면…."

팀장이 고민하는 사이 나는 슬쩍 끼어들었다.

"오늘 오다 보니 여기 사무실 모퉁이에 일식집 보이던데…."

"아, 히로시마 말씀하시는군요?"

"네."

"좋습니다. 그리로 가시죠. 거기 회덮밥 잘합니다."

나는 회 정식을 주문했다. 그리고 반주도 한잔 곁들였다. 팀장은 나의 당돌한 주문에 꽤 흥미로운 눈치로 나를 바라봤다. 그 모습이 보기 좋았다.

정갈한 접시에 연분홍 회가 수줍은 듯 포개어져 고개를 내밀었다. 나는 사정없이 젓가락으로 그 살덩어리를 집어 와사비를 듬뿍 넣은 초고추장에 풍덩 목욕시킨 후 내 입에 쑤셔 넣었다. 꿈틀거리는 살맛이 너무 향긋했다. 불과 며칠 전만 해도 지나치게 푸르고 넓은 대양에서 한가로이 노닐던 녀석의 몸뚱이라 생각하니 더욱 고소했다.

'역시 남의 살이 맛있기는 맛있어!'

팀장은 만족스러운 시선으로 나를 보며 회덮밥을 비비기 시작했다.

어느새 한 시간이 훌쩍 흘렀다. 하지만 팀장은 여유로워 보였다. 디저트로 나오는 과일과 커피까지 싹 다 비우고 박하사탕까지 입에 쏙 넣었다.

"우리 맥주 한잔하고 갈까요?"

"그래도 괜찮은가요? 팀장님. 아직 업무시간이…."

"네. 괜찮습니다. 우리 회사 전통입니다. 첫날 오후는 좀 늦게 들어가도 됩니다. 사실 그냥 퇴근해도 됩니다. 근데 제가 드릴 말씀이 좀 있어서."

"네. 저야 좋습니다."

나는 속으로 쾌재를 불렀다.

맥줏집이라고 하기에는 좀 요사스러웠다. 좁은 지하를 꽤 내려왔다. 팀장이 벨을 누르자 무척 두꺼운 철문이 열렸다. 그리고 목에 문신을 한 녀석이 고개를 내밀고 팀장에게 아는 척을 했다.

"김 이사 왔어요?"

팀장의 질문에 녀석은 굽신거리며 고개를 저었다.

"아직…."

"그럼 미자는?"

"왔는데 자고 있어요."

"그럼, 다 자고 나면 오라고 하세요. 그리고 기본 주세요."

복도 끝 방으로 우리는 들어갔다. 누가 봐도 딱 룸살롱이었다.

'어떻게 아냐고?'

'이래 봬도 유흥업소 삐끼 생활 3개월 경력자올시다.'

"여긴 비싼 곳 아닌가요? 팀장님. 여자 나오는…."

나는 괜히 순진한 척 사방을 둘러보며 물었다.

"걱정하지 마세요. 여기 사장이 저하고 친해요."

"오!"

나는 격한 감탄의 표정을 일부러 지으며 고개를 끄덕였다. 그리고 미자가 어떻게 생긴 여자인지 궁금했다.

잠시 후, 작은 병의 위스키, 맥주, 얼음통과 함께 요란한 모양의 과일 안주가 나왔다. 김 팀장은 숙달된 솜씨로 폭탄주를 만들어 내게 건넸다.

"자, 우리의 멋진 만남을 위해서."

"네. 반갑습니다. 팀장님."

나는 팀장을 따라 한 번에 꿀꺽 잔을 비웠다. 목구멍이 따끈따끈하기 시작했다. 기분이 날아갈 듯이 좋아졌다.

'출근 첫날부터 이게 웬 횡재야!'

나는 김 팀장이 마치 형처럼 친근하게 느껴졌다. 그래서 말했다.

"김 팀장님 이제 말 놓으시죠. 꼭 형처럼 느껴져서 그렇습니다."

"아, 그래. 그럼 지금부터 말 놓는다. 나도 필호 너 오늘 처음 볼 때부터 왠지 모르게 끌리는 게 있었거든."

'어이 자식이, 말 놓으라고 했다고 대번에 말 놓네.'

"네, 저도 그걸 느꼈습니다. 뭐랄까?"

"동병상련이지. 프로그래밍에 일찍 눈을 떤 사람들만이 갖는."

"네. 맞습니다. 형. 동병상련입니다."

"그래서 내가 지금부터 하는 말…. 필호야, 잘 새겨들어라."

"네. 형."

"우선, 우리 회사와 내가 엮인 히스토리부터 읊어 줄게."

그가 말한 내용은 대충 이러했다.

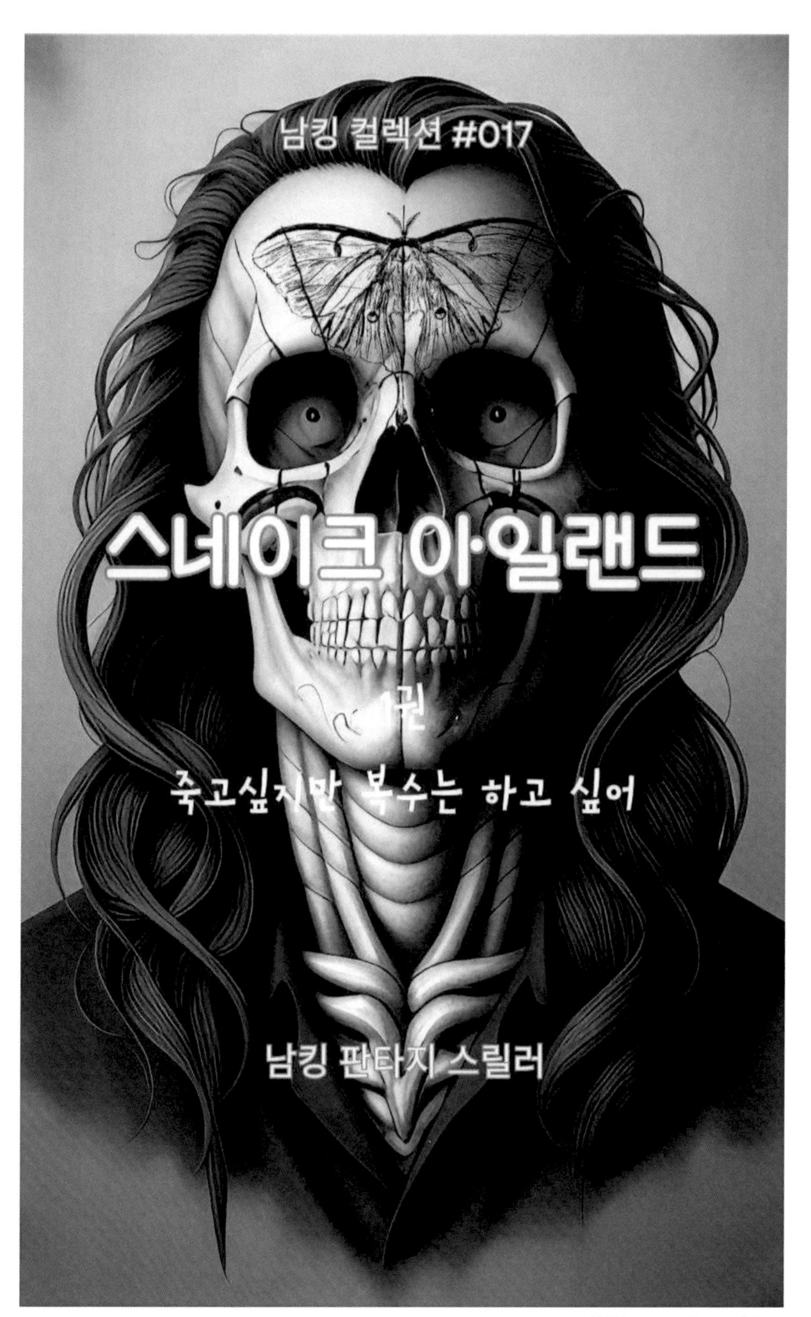
남킹 컬렉션 #017
스네이크 아일랜드
1권
죽고싶지만 복수는 하고 싶어
남킹 판타지 스릴러

남킹 컬렉션 #004
심해
deep ocean
남킹 SF 장편소설

스네이크 아일랜드 #3

남킹 판타지 스릴러

브런치 스토리 27

뱀섬

5년 전, 인터넷 버블이 세상을 흔들던 어느 날, 명문대 2학년에 재학 중인 팀장은 모 대기업이 주최한 소프트웨어 개발자 대회에서 대상을 받는다. 그리고 당연히 몇몇 대기업에서 스카우트 제의가 들어왔다. 하지만 그는 용 꼬리보다 뱀 대가리가 되고 싶었다.

그런 그의 욕망을 알아본 이가 남 이사였다. 그는 모 건설회사에서 회계 관리를 20년 동안 하였는데, 그동안 회사 공금을 교묘하게 빼돌리다 꼬리가 잡혀 구속된 인물이었다. 하지만 그는 간단하게 집행유예로 풀려났다. 그의 변호사 아니 변호인단이 국내에서 알아주는 초호화 집단이었다. 그의 재력으로는 도저히 꾸릴 수 없는 멤버였다. 이때부터 그의 배경에 제3 세력 혹은 조폭이 있다는 소문이 꾸준히 나돌았다.

남 이사가 첨단 IT 기업을 창업한 것도 이상한 일이었다. 그는 전형적인 컴맹이었다. 그저 회계 프로그램에 숫자 정도만 입력할 줄 알았다. 그런데도 그는 입버릇처럼 다음과 같이 말하곤 했다.

"앞으로 세상은 생명공학, 미디어, IT가 지배하게 될 거야. 두고 보라고!"

김 팀장으로서는 남 이사 같은 인물과 손잡고 일하는 게 무척 편했다. 왜냐하면 남 이사는 프로그래밍에 대해 전혀 몰랐기 때문에 김 팀장이 요구하고 주장하는 모든 것을 가감없이 들어 주었다. 심지어 사업 아이템도 김 팀장이 정했다.

김 팀장은 학생 시절에 만든 회계 관리 프로그램을 확장하여 ERP 개발에 착수했다. 남 이사는 김 팀장이 요구하는 적당한 규모의 사무실, 적절한 개발 인력, 합당한 규모의 마케팅 예산 편성까지 모두 군말 없이 수용했다. 실질적으로 김 팀장이 사장이었다. 남 이사는 적당한 시간에 출근해서 종이 신문 좀 보다가 당일 매출액 정도만 살펴보고는 사라졌다.

하지만 더 이상한 것은 대표이사라는 작자였다. 김 팀장이 대표이사를 처음 본 것은 회사가 본격적으로 수익을 내고 국내 ERP 업계에 꽤 이름이 알려진 뒤였다.

어느 날 현관문을 박차고 어떤 젊은 여인이 당당하게 걸어 들어왔다. 그녀는 검은 선글라스를 낀 채, 머리끝부터 발끝까지 온통 명품으로 두르고, 짙은 화장품 냄새를 사무실에 흩뿌리기 시작했다. 가뜩이나 젊디젊은 수컷 개발자들이 이 공격적인 자극에 다들 하던 일을 멈추고 고개를 들어 수상한 여인을 쳐다볼 수밖에 없었다.

"남상호 이사님 뵐 수 있을까요?"

그녀는 선글라스를 벗어 한 손에 쥐고 도도한 표정으로 가까이에 있는 직원에게 물었다.

"네. 이사님은 저기 저쪽 방에."

직원이 가리킨 곳을 그녀는 한번 흠칫 보더니 다시 선글라스를 끼고 그곳으로 빠르게 걸어갔다. 그런데 그녀가 그곳에 당도하기도 전에 방문이 벌컥 열리더니 남 이사가 잽싸게 뛰쳐나와 그녀에게 고개를 푹 숙였다.

"아이고, 부총재님께서 어인 일로 이런 누추한 곳까지."

그야말로 사극에서나 보던 임금과 신하의 모습이었다. 남이사는 연신 고개를 수그리며 그녀 뒤를 따라 방으로 들어갔다. 이를 지켜보던 모든 직원이 어안이 벙벙한 채 서로를 쳐다봤다. 김 팀장 또한 마찬가지였다.

'도대체 누군데 남이사가 저렇게 쩔쩔매지?'

잠시 후 방문이 다시 벌컥 열리더니 남이사가 김 팀장을 급히 찾았다.

"이분은 우리 회사 대표이사이신 어…. 신윤정 사장님. 그리고 이쪽은 개발을 책임지고 있는 우리 어…. 김민호 팀장님입니다. 인사들 나누시죠."

김 팀장이 인사를 하자 그녀는 손을 내밀어 그에게 악수를 청했다.

"우리 남이사님한테서 얘기는 많이 들었어요. 무척 유능하신 개발자분이라고."

"아, 네. 뭐 그냥 밥벌이 정도는 합니다."

그녀의 손은 무척 말랑했다. 하지만 얼굴은 마치 조각품처럼 딱딱해 보였다.

"이번 달에 저희 제품이 ERP 시장에서 2위로 올라섰습니다. 이대로라면 1위 탈환도 어렵지 않을 전망입니다. 부총재님. 아, 아니, 사장님."

남이사가 특유의 편안한 인상을 지으며 그녀에게 아첨을 떨었다.

"좋아요. 아주 좋아요. 아무튼 우리 총재님 말씀대로 앞으로의 세상은 생명공학, 미디어, IT가 지배하게 될 거니까. 다들 열심히 해주시기를 바랍니다."

그 말에 김 팀장은 빵 터질 뻔한 것을 겨우 참았다. 남이사가 그동안 입버릇처럼 말하던 것이 결국은 그 총재인가 뭔가가 주장하던 것이었다.

'그런데 도대체 무슨 총재라는 거지? 그리고 이 여자는 뭔데 새파란 나이에 부총재와 대표이사를 겸임하는 거지?'

김 팀장이 의문이 가득한 눈으로 그녀와 남 이사를 번갈아 처다보는 사이, 그녀는 제법 큰 명품 가방에 손을 집어넣더니 현금다발 한 뭉치를 꺼냈다. 그리고 김 팀장에게 내밀었다.

"그동안 고생했어요. 직원들끼리 회식이나 하세요. 팀장님."

모두 10만 원권 자기앞 수표였다. 적게 잡아도 천만 원은 되어 보였다.

'시팔, 도대체 이 여자의 정체가 뭐야?'

팀장은 뭉칫돈 앞에 감사하다는 마음보다는 뭔가 모를 불길함을 직감했다. 그리고 그의 예감은 며칠 뒤에 이상한 요구사항으로 나타났다.

"연구소 전산 시스템 구축입니다. 팀장님."

남 이사의 요청에 김 팀장은 당황스러웠다. 치열한 ERP 시장에서 직원이 합심 단결하여 총력을 기울여도 살아남을까 말까 한 게 현실인데, 뜬금없이 연구소 시스템을 구축하라니…. 팀장은 단호하게 거절해야겠다고 결심했다. 하지만 그가 말을 꺼내기도 전에 그는 남

이사의 간절한 표정을 읽었다.

"팀장님, 제가 지금까지 한 번이라도 뭘 요구한 적이 있던가요?"

"물론 없었습니다. 이사님 하지만…."

"이번 한 번만 제 청을 들어 주십시오."

"네. 그럼 이사님을 존경하는 마음에서 거절하지는 않겠습니다. 하지만 몇 가지 질문을 해도 되겠습니까?"

"네. 하시죠."

"우선, 저희 대표이사는 어떤 분입니까?"

그의 질문에 남이사는 얼굴이 심각하게 변했다. 그리고 뭔가를 골똘하게 생각하는 듯하더니 이윽고 말문을 열었다.

"김 팀장님. 지금부터 제가 하는 말을 비밀로 해주신다면 간단하게 우리 사장님에 대하여 말씀드리겠습니다."

"네. 비밀로 하겠습니다."

"음…. 그러니까…. 일종의…. 편하게 비유하자면 종교단체라고 생각하시면 될 겁니다."

"종교 단체라고요?"

"정확히 종교단체는 아닙니다. 그냥 총재와 대의원이 있는 일종의 조직입니다. 하지만 겉으로 드러나는 것에 매우 신중합니다."

"그럼, 저희 사장이 그 단체의 부총재라는 말씀인가요?"

"네. 맞습니다. 총재님의 자녀 중 한 명입니다."

"한국에 본사가 있나요?"

"아닙니다."

"그럼 어디에 있나요?"

"말씀드릴 수가 없습니다."

"그럼 그 연구소는 한국에 있나요?"

"아닙니다."

"그럼 어디에?"

"전 세계 여러 곳에 있습니다."

"여러 곳에? 그럼 한 개가 아니군요?"

"네. 여러 개를 만들고 있습니다. 한가지 공통점이라면 모두 섬에 있습니다."

"섬이라고요?"

"네, 예를 들면 남태평양, 인도양, 흑해, 북해 심지어 남극까지…."

"그게 가능한가요?"

"네. 그게 가능할 정도의 재력입니다."

"도대체?"

"이렇게 보시면 됩니다. 세계 경제계의 보이지 않는 손."

김 팀장은 말문이 막혔다. 자신이 뱀의 대가리라고 생각했었는데 알고 보니 무척 거대한 용의 꼬랑지였다.

"그럼 무엇을 연구하는 곳입니까?"

"물론 생명공학입니다."

"모든 연구소가 다 그런가요?"

"네. 모두 다, 생명공학입니다. 총재님의 뜻입니다."

"그러니까, 그 총재님의 뜻은…. 생명공학, 미디어, IT 라는 거죠?"

"네. 정확하십니다. 팀장님."

"그럼, 미디어는 어디?"

"이미 전 세계 굴지의 신문사, 영화사, 엔터테인먼트 회사를 사들였습니다."

"그럼 저는 모든 연구소 범용 통합 관리 시스템을 만드는 건가요?"

"아닙니다. 오직 한 곳입니다."

"거기가 어딘가요?"

"남태평양에 있는 <랑테스그란데>라는 군도입니다."

"군도라면?"

"네. 여러 개의 섬이 뭉쳐져 있습니다."

"랑테스그란데라고요?"

"네. 원주민은 그렇게 부릅니다. 영어로는 스네이크 아일랜드. 즉, 뱀섬입니다."

"뱀이 많은가요?"

"딱 한 종. 전 세계 어디에도 살지 않는 맹독을 가진 독사가 삽니다. 하지만 많지는 않습니다."

"위험하지 않을까요?"

"물론 물리면 7초 이내에 사망입니다. 하지만 우리 단체가 개발한 백신과 해독제가 있습니다. 걱정 안 하셔도 됩니다. 그리고 뱀이 있다고 해서 붙여진 이름이 아닙니다. 지구상에 뱀이 있는 섬은 흔하니까요. "

"그러면 왜 그렇게 이름을?"

"섬의 모양이 뱀처럼 생겼습니다. 여러 개의 섬이 뱀처럼 구불구불 하게 이어졌습니다."

"그럼, 저는 개발을 거기 가서 해야 하나요?"

"그건 팀장님이 선택하시면 됩니다. 다만 한 번 이상은 가셔야 할 듯합니다."

"그래야겠죠. 적어도 한번은…."

"언제부터 시작하면 되나요? 그 연구소 관리 시스템이라는 거?"

"빠르면 빠를수록 좋습니다."

그레고리 흘라디의 묘한 죽음

남킹 장편소설

남킹 컬렉션 #001

거짓과 상상
혹은
죄와 벌
남킹 장편소설
남킹 컬렉션 #002

파벨 예언서 #1

남킹 현대 코미디 액션 장편소설

1. 예지몽

아주 오래전, 유럽의 어느 조용한 시골에 파벨이라는 80대 노인이 살고 있었다. 어느 날 그는 양들을 몰고 길을 가던 중, 따가운 햇볕에 일광욕을 즐기고 있는, 젊은 마태오 신부를 보았다.

"안녕하세요? 신부님! 좋은 한낮입니다."

"아! 반갑습니다. 파벨 아저씨! 오늘도 여전히 들판으로 가는 중이군요?" 신부는 온화한 미소를 띠며 노인을 바라봤다.

"네, 저야 늘 변함이 없습니다. 10살 때부터 해 오던 양치기를 70년이 넘도록 하고 있습니다. 하하하."

"이제 은퇴하고 쉬실 때도 되지 않았나요?" 마태오 신부는 구부정한 모습에 걷는 것조차 다소 힘들어하는 그에게 안타까운 표정을 지으며 부드럽게 물었다.

"쉬면 뭐 하겠습니까? 그저 저는 주님의 품으로 다시 돌아갈 때까지, 제 자식과 다름없는 이 양들을 돌보며, 삶의 소소한 기쁨을 누리고 있습니다. 아멘."

"늘 변함없는, 주님의 은총이 함께 하시길…." 신부와 파벨은 동시에 눈을 감고 성호를 그은 다음 기도를 복창하였다.

"아, 그런데 안 그래도 신부님께 한 가지 여쭈어볼 게 있었는데, 늘 깜빡깜빡하다가 지금에서야 생각이 났습니다. 뭐 그다지 중요한 일은 아니고, 어쩌면 별스럽다고 흉보지 않을까 하여 사실, 좀 조마조

마하기도 합니다만…." 파벨은 주춤거리며 말을 멈추었다.
"제게는 어떤 질문도 소중하기만 할 뿐입니다. 파벨 아저씨. 그러므로 허심탄회하게 가슴속에 품은 모든 이야기를 털어놓으셔도 좋습니다." 신부는 지극히 낮은 모습으로 파벨의 푸른 눈을 쳐다봤다.
"그러면, 말씀을 드리도록 하겠습니다. 신부님께서 이렇게 이해해주시니 저로서는 한결 마음 편합니다. 그러니까…. 음…. 제 꿈에 관한 이야기입니다…." 파벨은 기억을 차분히 정리하는 듯 눈을 위로 치켜뜨고 잠시 머뭇거렸다.
"아 꿈요?"
"네, 꿈입니다. 최근에 늘 반복적으로, 똑같은 악몽을 꾸다가 깨곤 합니다. 늙은 육신이다 보니 기력이 쇠하고 피로를 늘 달고 살기는 하지만 정신만큼은 젊은이 못지않게 여전히 강하다고 자부하며 살고 있지만, 이 악몽은 그저 불길하기 짝이 없고 불편하기가 이를 데 없습니다. 신부님."
"어떤 꿈이기에 그러한가요? 파벨 아저씨."
"어떤 장례식입니다. 그 장면이 생생하기 이를 데가 없습니다. 물론 저의 장례식은 아닙니다. 무척 고귀하시고 높으신 분의 장례식입니다. 왜냐하면 낮고 어두운 하늘 아래 수많은 인파가 거리를 가득 메운 가운데로 운구 행렬이 이어집니다. 분명 한 사람의 죽음일 텐데, 그 뒤를 따르는 이는 그 끝을 헤아릴 수 없을 정도로 많습니다. 그리고 백성 한 사람 한 사람의 얼굴에는 곧 쓰러져 까무러칠 정도의 슬픔이 담긴 눈물이 맺혔습니다."
"혹시, 운구 행렬의 맨 앞에 펄럭이는 휘장이 어떻게 생겼는지는 기억이 나시는가요?" 신부는 흥미가 당기는 듯한 눈빛으로 파벨에게 물었다.
"네, 물론 당연히 생각이 납니다. 왜냐하면 저는 이 꿈을 열흘간 하루도 빠짐없이 꾸었습니다. 이제는 꿈속의 거리를 장식하는 가로수의 이파리 개수까지 셀 수 있을 정도입니다. 그러니까, 음…. 그 첫 휘장은 붉은 바탕에 녹색과 푸른 수로 만든 용이 등장하고 그 뒤를 따르는 다섯 휘장은 세 갈래로 찢어진 면에 각각의 사자가 포효하는 형상입니다. 신부님."
"그럼, 왕입니다. 왕의 장례식입니다." 신부는 조용히 고개를 끄덕이며 확신에 찬 표정으로 파벨을 쳐다봤다.
"왕이라고요?" 파벨은 소스라치게 놀란 표정으로 믿기지 않는 눈빛을 반짝였다.
"네, 지금의 왕이신, 빌헤름 표도르 7세는 카사카르와 누바스키의 군주이신 아드롬 2세의 장남으로, 시조이신 당탈르 9세가 젊은 시절 세 마리의 사자를 때려눕히고 나라를 건설하였다 해서 널리 퍼진 휘장이고, 표도르 국왕이 취임하는 그 해, 하늘에서 갈라지고 용의 형상을 한 번개가 천지 사방을 메아리쳤다고 해서 만들어진 왕의 으뜸 휘장입니다."
"그런데 신부님은 어떻게 그렇게 잘 아십니까?" 파벨은 눈을 동그랗게 뜬 채 신부를 쳐다봤다.
"저는 출신은 미혹하고 고아로 세 살 때까지 자랐으나 운 좋게 대관자의 양아들로 입양이 되어 늘 가까이에서 왕족을 볼 수 있는 영광을 누렸습니다. 게다가 표도르 국왕의 다섯째 아드님이신, 나르히르 왕자님은 저와 둘도 없는 절친이었습니다."
"그런데 어쩌다가 이런 시골에 신부님으로 부임하셨는지요?" 파벨은 안타까운 표정이 되어 신부를 바라봤다.
"그건, 순전히 저의 뜻입니다. 저는 나이가 들수록 글 읽기와 쓰기, 그리고 주님의 경배에 보내는 시간만이 진정한 제 삶의 기쁨으로 받아들이게 되었습니다. 저는 사람들이 천천히 걷고 바람이 온순하고 풍경이 목가적인 세상에 빛을 쏘이며 삶의 경이에 다다르기를 늘 갈망하였습니다. 그리고 이곳은 그야말로 저에게는 더할 나위 없이 좋은 곳이고요."
"아, 그런 깊은 뜻이 있었군요. 네, 하여튼 감사합니다. 늙은이의 주책맞은 꿈을 들어주셔서…. 그럼 이만 저는 가는 길을 가도록 하겠습니다. 신부님."
"아, 그런데 혹시 아저씨 꿈에 나타난 곳을 이전에 실제로 가 보신 적은 있으신가요?"
"에구, 저는 제 팔십 평생 이 마을을 벗어나 본 적이 없습니다. 제가 꿈에 보는 모든 도시와 풍경, 거리와 사람들의 모습이 저에게는 모두 생소한 것이었습니다. 그래서 저는 누군가에게 설명하고 싶어도 어떻게 표현해야 할지를 모를 정도였습니다. 신부님."
"거참, 이상하고 신기하기 짝이 없습니다. 혹시 이전에도 이렇게 반복적으로 꿈을 꾼 적이 있으신가요?"
"이번이 처음입니다. 신부님. 저는 대체로 일찍, 깊이 잠드는 편이라 사실 꿈을 잘 안 꾸었습니다. 꾸더라도 흐릿하여 잊어버리거나 짧고 황당한 것뿐이었습니다. 이처럼 반복적으로 생생하게 꿈을 꾼 것은 이번이 처음입니다. 신부님."

"아, 네, 잘 알겠습니다. 파벨 아저씨. 아무튼 이후라도 이런 현상이 계속된다면 저에게 언제든지 말씀해주시기 바랍니다."

"네, 당연히 말씀드리겠습니다. 신부님. 그럼 이만…."

그렇게 헤어진 파벨은 양을 몰고 신선한 목초가 무성하게 자란 들판으로 갔다.

그리고 보름 뒤, 이 작은 마을의 유일한 관공서이자 마을 회관에 검은 깃발이 게양되었다. 실제로 빌헤름 표도르 7세가 서거하신 거였다. 이 소식을 접한 신부는 놀라지 않을 수 없었다. 이주 전 파벨의 꿈이 현실이 된 것이다. 그래서 신부는 급하게 파벨을 찾아갔다.

마을에서 제법 떨어진 산 중턱에 자리 잡은 파벨의 집은 오두막에 가까웠다. 마당에는 닭, 오리, 고양이, 개가 뛰어다녔고 뒷 마당에는 각종 채소가 자라고 있었다. 날은 어느새 상당히 무더워져 신부는 땀이 흠뻑 젖은 채 대문을 두드렸다. 꽤 오랜 시간이 지난 뒤에 인기척이 들리며 노인이 문을 빼꼼히 열었다. 그리고 신부를 보고는 깜짝 놀라 달려 나왔다. 사실 지금까지 이 동네 사람 누구도 파벨의 집을 방문하는 이는 없었다.

"안녕하세요? 파벨 아저씨."

"오! 신부님께서 어떤 일로 이렇게 누추한 곳까지?"

"네, 한가지 전할 말씀이 있어서 들렀습니다. 일전에 저에게 들려주신 꿈 말입니다…."

"아, 네. 꿈. 제가 자주 꾼다는 그 꿈 말씀인가요?"

"네, 맞습니다. 그 장례식 꿈…. 그런데 사흘 전 실제로 국왕께서 서거하셨습니다."

"서거했다면?"

"네, 왕께서 돌아가셨습니다." 파벨은 뭐에 맞은 듯 비틀거리며 한 걸음 물러났다.

"이런, 불경스러운 짓을 내가 저질렀다니…." 파벨은 그 자리에 털썩 주저앉아 머리를 조아리며 신부님께 용서를 빌었다. 그러자 신부는 당황한 듯한 표정으로 그를 일으켜 세웠다.

"이건, 파벨 아저씨의 잘못이 절대 아닙니다. 단지 주님의 뜻이 반영된 결과일 뿐입니다. 그러므로 너무 심려하시지 마시고 죄책감도 느끼지 않으셔도 됩니다."

"하지만, 어떻게 이런 엄청난 일이 무지렁이로 살아온 저에게 일어난단 말입니까?"

"어찌, 어리석은 인간이 높으신 주님의 뜻을 한치라도 이해할 수 있겠습니까? 그저 받아들이시고 기도하심으로 정성을 보살피는 것만이 최선이라고 생각합니다."

"네, 신부님, 그럼 그렇게 알고 간절한 기도와 참회의 묵송을 바치도록 하겠습니다. 감사합니다. 이렇게 귀하신 분이 이곳까지 애써 오셨으니…."

"아닙니다. 파벨 아저씨. 제가 응당 해야 할 일을 하기 위해 이 자리에 있는 것뿐입니다. 그리고 한가지 질문을 드리자면…."

"네, 신부님. 무엇이 궁금합니까?"

"혹시, 아직도 그 꿈을 계속 꾸시는 가요?"

"아이고, 아닙니다. 신부님. 요즈음은 아주 편하게 잘 자고 있습니다.

신기하게도 신부님께 말씀을 드린 그 날 이후 지금까지 저는 어떤 꿈도 꾸지 않고 있습니다."

"아, 그러시군요. 무척 다행입니다."

"네, 안 그래도 한번 찾아뵙고 고맙다는 인사를 드리려고 하였습니다. 저의 악몽을 싹 고쳐주셨으니깐요. 신부님."

"네, 그럼 안심입니다. 파벨 아저씨. 그럼 주님의 은총이 가득하시길…. 이만…."

"네, 감사합니다. 신부님…."

신부는 파벨에게 작별을 하였고 그해 겨울이 오기까지는 아무 일도 없었다.

그러던 어느 날, 추위가 막 시작되어 마을이 얼어붙기 시작한 새벽에 파벨은 급히 성당 옆 성직자 숙소의 문을 다급히 두드렸다.

"신부님! 신부님!" 어둡고 조용한 마을을 깨우는 듯한 소리에 동네 개들이 하나둘씩 짖기 시작했다. 신부는 자정 미사를 막 끝내고, 깊은 잠이 들었지만 계속되는 소음에 겨우 눈을 떴다. 그리고 창문을 조금 열었다. 뼛속을 뚫는 찬바람이 쏜살같이 쏟아졌다. 그는 파벨을 알아채고 서둘러 문을 열어 그를 맞이했다.

"아, 네, 파벨 아저씨! 이 야심한 밤에 어쩐 일이십니까?" 신부는 칼칼한 목을 억지로 다듬으며 겨우 입을 열었다.

"네, 신부님, 아무래도 지금 말씀드리지 않으면 또 까먹을 것 같아 왔습니다. 죄송합니다. 잠을 깨울 생각은 추호도 없었습니다."

"아, 네, 괜찮습니다. 파벨 아저씨. 뭔가 틀림없이 중요한 일인 것 같은 느낌이 드는군요."

“에구, 뭐 이게 중요한지 아닌지는 신부님의 뜻에 따르겠지만…. 제가 워낙 기억이 오락가락하는지라…. 지금 생각날 때 말씀드리지 않으면 또 한 며칠을 까먹을 것 같아서 이렇게 불편한 자리를 만들고야 말았습니다. 신부님.”

“네, 무슨 뜻인지는 잘 알겠습니다. 아저씨. 그래 무슨 일이신가요? 혹시 꿈 이야기인가요?”

“네, 맞습니다. 제가 같은 꿈을 또 꾸기 시작했는데, 매일 아침이 되면 신부님께 말씀드려야지 하고선 오후가 되면 그만 까먹어버리고 또 다음 날 아침이면 생각나고…. 이러기를 사흘 내리 하다가 오늘은 새벽에 깨자마자 이렇게 달려왔습니다. 신부님.”

“아, 네, 어떤 꿈입니까? 또 왕과 관련된 꿈인가요?”

“아닙니다. 이번에는 우리 동네에 관한 것입니다.”

“우리 동네?”

“네, 그렇습니다. 함박눈이 내린 날 아침입니다. 온 세상이 하얗게 색칠한 듯 눈부시게 아름다운 날이었습니다….”

“그런데요?” 신부는 궁금한 듯 고개를 파벨 아저씨에게로 바싹 다가가며 물었다.

“저 멀리 언덕 너머에서 한 무리의 군인이 마을로 쳐들어왔습니다….”

“그리곤 요?”

“우리 마을에 사는 모든 주민과 동물을 다 죽였습니다. 그 군인들이….”

“악몽이군요….”

"네, 저는 내리 사흘 동안 아침이면 온몸이 땀으로 범벅이 된 채 깼습니다. 추운 방에서 말입니다."
"음…. 그 꿈이 현실이 된다면 불행하기 짝이 없는 상황이군요…. 하지만…. 아저씨도 잘 아시다시피 이곳은 지난 300년 동안 훌륭한 성품의 군주가 다스리는 평화롭기 그지없는 나라이지 않습니까?"

"네, 맞습니다. 저는 전설에서나 전쟁을 들어 봤지 제 평생 전쟁은 커녕 분란조차 일어나지 않은 소박하고 정겨운 마을에 살고 있다는 즐거움에 살고 있기는 합니다."
"네, 맞습니다. 그래서 제가 이 마을을 택한 이유이기도 합니다…. 아무튼 감사합니다. 이렇게 어두운 새벽에 먼 길을 손수 오셔서…."

"아, 아닙니다. 괜히 신부님의 잠만 깨우고 또 괜한 걱정을 일으키게 한 것 같아서 송구스럽기만 합니다. 아무튼 저는 오늘부터 또다시 꿈을 꾸지 않기를 바라며 물러가도록 하겠습니다."
"이왕 이렇게 오셨으니, 따뜻한 차라도 한 잔 드시고 몸을 충분히 녹인 다음 떠나시기를 바랍니다. 찬 바람을 너무 많이 쐬시면 몸이 상할까 두렵습니다. 그리고 한가지, 혹시라도 모르니 꿈 이야기는 저와 아저씨만 간직하도록 하겠습니다. "
"네 감사합니다."
파벨이 떠나고 난 뒤, 그날 아침, 꿈이 계속해서 마음에 걸린 신부는 혹시나 하는 마음에, 파발마를 수도에 띄웠다. 그리고 반나절 만에 접한 소식은 불안하기 짝이 없었다. 성군으로 알려진 왕의 장례식이 끝나고 새 왕으로 등극한 하빈괘찬 17세는 나이가 겨우 일곱 살이었다. 그래서 왕의 섭정을 두고 친어머니와 왕비 간의 알력이 다툼으로 번지고 급기야 두 가문 간의 전쟁으로 확산하고 말았다는 거였다. 더욱 불안한 거는 이 마을을 호령하는 귀족이 바로 왕비의 가문이었다.

신부는 뭔가 심상치 않음을 직감했다. 마을 이장을 찾아가 자초지종을 설명하고 동네 청년들을 소집했다. 우선 마을 입구에 봉화대를 설치하고 마을 곳곳에 꽹과리를 두었다. 그리고 마을 주민을 산속으로 이끌 선발대를 훈련하고 피난처에는 최소한의 양식을 보관해 두었다.

그리고 얼마 지나지 않아 예언대로 함박눈이 펑펑 내린 다음 날 아침, 군인들이 쳐들어왔다. 마을 주민들은 연습한 대로 신속하게 피신하였다. 그리고 산속 피신처에서 자신들의 마을이 불타오르는 장면을 불안한 시선으로 지켜봤다. 그렇게 다들 목숨을 부지한 마을 주민들은 신부님께 무한한 감사를 잊지 않았다. 하지만 파벨의 꿈에 대해서는 아무도 몰랐다. 신부는 파벨이 예언자라는 사실이 알려지면 삽시간에 소문이 퍼질 것이고 그러면 그의 평화로운 삶도 깨질 게 당연하다는 것을 잘 알고 있었다.

그리고 그날 이후, 신부는 매주 두 번씩 은밀히 파벨을 찾아가서 그의 이야기를 기록하기 시작했다. 하지만 마태오 신부는 여전히 파벨의 꿈이 정말 예언이 맞는지, 그리고 하나님의 말씀이 맞는지에 대해 확신을 할 수는 없었다. 게다가 더욱 궁금한 것은, 이러한 예언을 인간의 의지로 바꿀 수 있는지에 대한 여부였다. 그리고 그러한 신부의 궁금증은 이내 확신으로 바뀌었다. 어느 날, 파벨은 또다시 신부를 찾아와 다급한 사연을 그에게 알려주었다.

"선한 왕비가 독살되는 꿈을 꾸었습니다. 신부님!"

"감히 누가 왕비를 시해한단 말입니까?"

"시종입니다. 이마에 붉은 점이 박힌 시종이 독초를 끓인 차를 대령합니다. 신부님!"

신부는 그 즉시 가장 빠른 말을 몰아 수도로 갔다. 그리고 그의 가장 친한 친구인, 나르히르 대군에게 이 사실을 고했다. 시종은 즉시 잡혔고 그의 숙소에서 증거물이 나왔으며, 문초 끝에 모든 게 사실이라는 자백을 받아 내었다. 신부는 안심하고 떠나면서 친구에게 이 사실을 절대로 발설하지 말기를 당부했다. 그리고 마침내 그는 모든 것을 받아들였다. 파벨은 예언가이며 그의 예언은 인간의 의지로 바꿀 수 있다는 진실을….

그렇게 세월은 흘러, 어느덧 아흔이 된 파벨은 신부의 축복 속에서 눈을 감았다. 그리고 신부의 비밀 서재에는 파벨의 꿈을 기록한 10권 분량의 책이 쌓였다. 그 속에는 수많은 예언이 적혔다. 그리고 신부는 생각했다.

혼자 힘으로 이 모든 예언을 해석하고 준비하고 그에 따른 실천을 하기란 정말 힘들다는 사실을…. 그래서 은밀히 바티칸에 편지를 보냈다. 몇 주 후, 바티칸에서 온 답장에 따라 신부는 로마로 향했다.

바티칸에서 교황을 알현한 신부는 그간, 파벨에 관한 그의 경험을 모두 사실대로 들려주었다. 그리고 책을 내밀었다. 그는 그동안 발생한 사건과 관련하여 책에 기록되어 있는 예언을 하나씩 비교해가며 설명했다. 교황은 놀라움과 당혹함을 감출 수 없는 얼굴로 신부의 이야기를 경청했다. 신부가 지적한 예언은 모두 12가지로 하나도 틀리지 않고 사실로 드러났다. 그중에는 전임 교황의 갑작스러운 서거도 실려 있었다.
곧이어 긴급 비밀회의가 열렸다. 바티칸에서 기적 혹은 설명할 수 없는 현상 그리고 영매, 퇴사를 담당하는 극소수의 추기경들이 소집되었다. 그들은 사흘 낮 사흘 밤을 지새우며 파벨의 꿈을 모두 훑어보고, 놀라움과 동시에 불안감 그리고 신에 대한 경외를 논했다.

나흘째 되던 날, 마침내 이 예언서들은 모두 지하 깊숙이 은밀한 장소에 봉인이 되었다. 그리고 파벨의 예언서를 연구하는 7인의 학자가 선발되었다. 그들은 침묵의 서명을 한 뒤, 매달 1회 모여서 예언서의 해석과 대비책을 정하고 교황에게 조언하도록 명 받았다. 이 모임의 이름을 <파벨코란데오>로 명하였고, 책임자는 마태오 신부가 맡았다. 만약 7인의 학자 중 누군가가 죽게 되면 나머지 6인이 의논하여 새로운 학자를 뽑도록 하였다.
그리고 이 비밀회의는 천 년 동안 이어졌다. 그동안 교황과 극소수 추기경을 제외한 누구도 이 비밀 모임의 존재를 알 수 없었다. 교황에서 전하는 조언은 오직 말로만 전달하였고, 비밀을 누설하는 학자는 지금까지 단 한 명도 없었다. 그들의 가족에게조차 발설하지 않았다.
하지만 그들은 알고 있었다. 그리고 염려하고, 그들이 취할 수 있는 모든 행위를 준비하였다. 파벨의 꿈 중 가장 충격적인 예언이 곧 임박했기 때문이었다.
그 시발점은, 로마에서 9,000km나 떨어진 대륙의 동쪽, 대한민국의 수도, 서울의 어느 초라한 원룸에서 비롯하였다.

파벨 예언서
떠오르는 위협
남킹 장편소설
남킹 컬렉션 #008

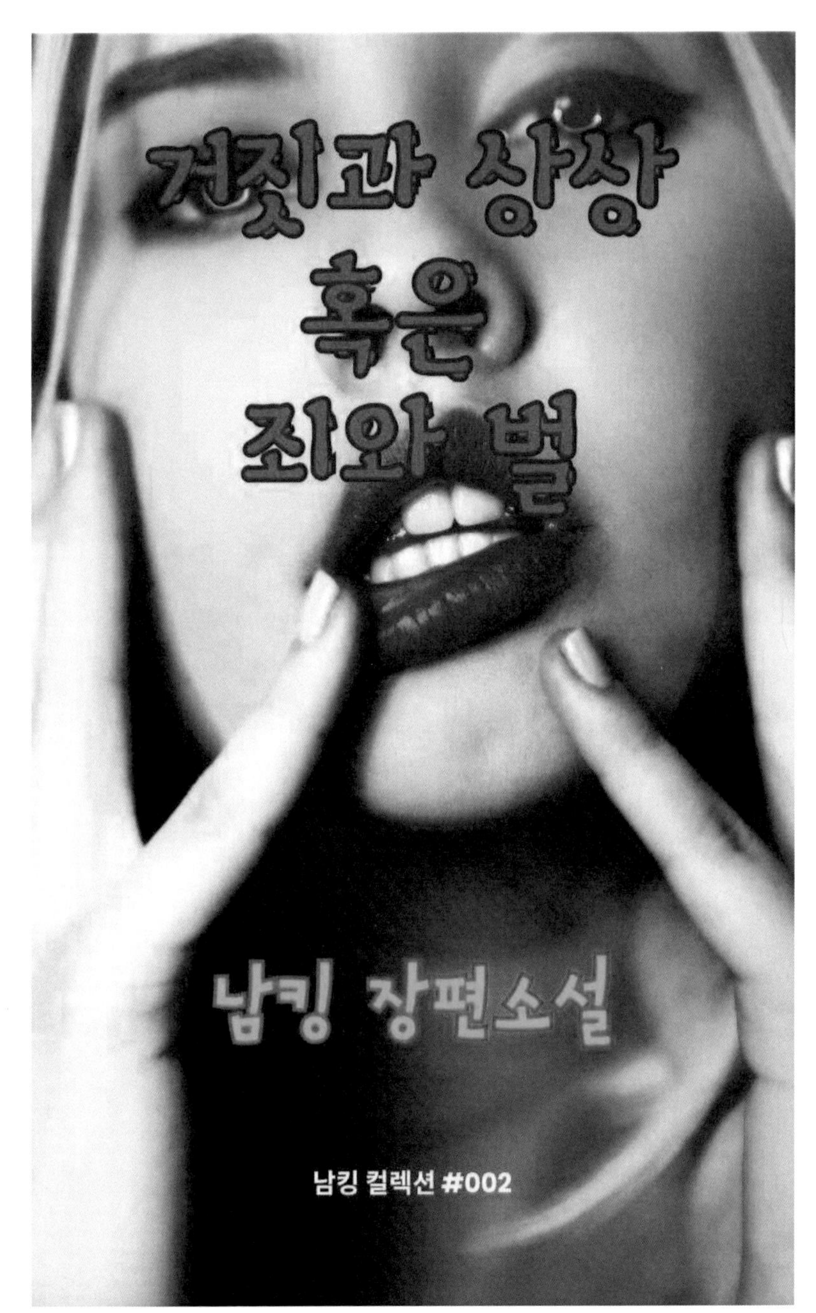
거짓과 상상
혹은
죄와 벌
남킹 장편소설
남킹 컬렉션 #002

파벨 예언서 #2

남킹 현대 코미디 액션 장편소설

2. 미지와의 조우

박칠규는 오늘 절망했다. 그가 삼 년 동안 공을 들인 여자 친구에게서 차인 것이다. 그의 나이 이제 서른아홉. 평범한 외모에 어중간한 중소기업을 다니고 있는 그는, 그의 마지막 희망이 사라짐을 분노와 고통의 시선으로 쳐다봤다. 그녀에게 장가가기 위해 그는, 물질적으로 정신적으로 아낌없이 투자했다. 한마디로 몰빵을 한 것이다. 그는 자신에게 들어가는 비용을 극한의 절약 정신으로 아껴가며, 돈을 모아, 비록 전세지만 자그마한 아파트를 구매하고, 필요한 세간살이를 모두 준비하였다. 그리고 오늘, 그는 드디어 그녀에게 프러포즈하기 위해, 작은 다이아몬드 반지를 준비하여 고급 레스토랑에서 그녀를 맞이했다. 하지만 그녀는 싸늘한 미소와 함께, 미안하다는 말 한마디조차 하지 않은 채, 모든 것을 거부하고 나가 버렸다. 그리고 그와 관련한 모든 SNS 계정을 차단했다.

이로써 그는 공식적으로 99번의 맞선을 보았고, 그중에 10회 이상 데이트에 성공한 7명의 여인에게 모두 버림받게 된 비극의 주인공이 되었다. 그는 더 이상 살 가치를 찾을 수 없었다. 돌이켜보면 그는 첫사랑 이후, 단 한 번도 어떤 여인에게서 <사랑한다>라는 말을 들어 본 적이 없었다. 성격이 모난 것도 아니고 말을 어눌하게 하는 것도 아니며, 외모가 혐오스러운 것도 아닌데다 교양이나 예의가 없는 것도 아닌데, 이상하게도 그의 사랑 전선은 늘 참혹한 패전으로 이어졌다. 그리하여 그는 마침내 모든 것은 내려놓았다.
그는 회사에 사표를 내고 모든 재산을 처분하여 형제들에게 골고루 나누어주었다. 그리고 선산에 들러 돌아가신 부모님께 큰절을 올리고 유서를 작성한 뒤, 새벽 3시 차를 몰고 한강으로 향했다. 비가 억수같이 쏟아지는 그 날, 그는 마포대교 근처에 차를 주차하고 천천히 다리를 걷기 시작했다. 그리고 마침내 다리의 중간 지점에 왔을 때 그는 크게 심호흡을 두 번 하고 아래를 내려다봤다. 검은 물결이 아귀처럼 입을 쫙 벌리고 있었다. 그리고 그 순간, 주마등처럼 흐르는 그의 짧은 생을 되돌아봤다. 늘 가슴 한쪽 저편에 무겁게 자리 잡은 그의 첫사랑, 송미자. 그는 그때 느꼈다. 그가 아무리 부정하려고 애쓰고 달아나려고 노력했지만 결국 그는 다른 여자를 사랑할 수 없는 불쌍한 존재라는 것을…. 그는 사랑의 처음이자 마지막인 미자를 생각하며 다리의 난간에 올라 아낌없이 몸을 공중으로 날렸다. 그리고 서글픈 그의 사랑에 작별을 고했다.

****

그가 눈을 떴을 때 모든 것이 생소했다. 작고 단출한 흰색의 방에 흰색의 침대에 흰색 모포를 덮고 그는 누워 있었다. 그는 그 순간 생각했다.
'아 이곳이 바로 천국이구나'
그의 옷도 흰색 잠옷이었으며 흰색 화병에 흰색 안개꽃이 흐드러지게 꽂혀 있었다. 모든 게 단색이지만 창문만을 예외였다. 길고 좁은 창문에 비친 세상은 그가 늘 보아온 평범한 하늘과 도시였다.
'아, 천국도 현세와 그다지 다르지는 않구나' 하고 그는 그때 생각했다.
그는 천천히 일어나 창문으로 다가갔다. 푸른 하늘 아래, 새들과 기찻길, 차량이 보이고 바람에 흩날리는 나뭇가지를 지켜봤다. 그러자 그는 내가 여전히 살아 있다는 의구심을 갖지 않을 수 없었다. 잠깐 혼란과 의문이 그를 휘감았다. 그리고 그때, 노크 소리와 함께 흰색 가운을 입은 간호사가 나타났다. 그는 그 순간 머릿속을 휘젓던 생각을 묻지 않을 수 없었다.
"혹시, 여기가 천국인가요?" 그러자 간호사는 한심하다는 표정으로 그를 쳐다보며 차갑게 말했다.
"박칠규 환자님, 여기 누우셔서 바지 내리셔요…. 주사 들어갑니다. 항생제 주사니까 좀 아플 거예요."
****
박칠규는 한동안 멍하니 누워 있었다. 머릿속이 짜장면과 스파게티를 섞은 놓은 것처럼 혼란스럽고 지저분했다.
'나는 틀림없이 차디찬 강물 속으로 속절없이 뛰어들었는데…?'
'누가 나를 구한 거지? 어떻게? 왜?' 그의 궁금증은 점점 쌓여만 갔다. 하지만 누구도 속 시원하게 그에게 설명해주지 않았다. 그가 담당 간호사를 붙잡고 겨우 얻어낸 지식으로는, 그가 누군가에 의해 병원으로 실려 왔고 누군가가 나 대신 입원 절차를 밟았다는 것이다. 게다가 이 병원 최고층 MVP 병실로.
그는 어안이 벙벙한 채 이틀을 병원에서 더 보낸 뒤 퇴원을 하였다. 퇴원 절차도 이미 누군가가 다 처리한 상태였다. 다만 그 누군가에 대해서는 아무도 입을 열지 않았다.

박칠규가 병원 문을 막 나서려고 하는데 자신을 돌봤던 그 간호사가 따라 나오더니 갈색 봉투를 그에게 내밀었다.
"이게 뭔가요?"
"글쎄요. 저도 부탁받은 거라 모르겠어요. 단지 퇴원할 때 드리라고만 하셨어요. 그럼 잘 가시기 바랍니다. 그리고 이제, 딴마음 먹지 마시고요."
"아, 네. 감사합니다. 그럼 이만." 박칠규는 봉투를 열어 보았다. 그곳에는 명함 한 개와 오만원권 지폐가 10장 들어 있었다. 명함은 단순하기 그지없었다. 이름과 주소뿐이었다. 그런데 이름이 좀 이상했다. <가브리엘>. 그리고 명함 뒷면에는 다음과 같은 글이 적혀있었다.
'최대한 빨리 방문 요망'
집으로 돌아온 그는 한동안 막막하고 답답한 상태로 누워만 있었다. 그가 작성한 유언은, 여전히 책상에 그대로 있었다. 그의 방은 모두 정리가 된 상태라 텅 비어있었다. 당장 갈아입을 속옷도 없었다. 원룸도 일주일 뒤에는 비워두어야만 했다. 직장도 없고 당장 뭔가를 할 용기도 나지 않았다. 그저 반듯이 누운 채 왜 자기가 죽지 않았는지를 곱씹을 뿐이었다. 그리고 생각했다. 틀림없이 이 명함에 적힌 이 사람만이 자신의 의문을 답해주리라는 것을….
다음 날 이른 아침, 그는 편의점에서 삼각김밥과 컵라면으로 아침을 때운 뒤, 명함에 적힌 주소로 가기 위해 택시를 탔다. 택시는 꽤 오랜 시간 달려, 시 외곽에 있는 어느 한적한 수도원 앞에 멈추었다. 비가 처량하게 내리고 있었다. 음산하기 이를 데 없는 검고 투박한 건물이 그를 두렵게 하였다. 잠시 돌아갈까 하다가 그는 어차피 이래도 죽고 저래도 죽을 건데 뭐가 두려울까 하며, 자신을 다 잡은 다음 천천히 건물의 입구로 갔다. 그리고 벨을 눌렀다.

한참 뒤, 검은 사제복을 걸친 백발의 노인이 문을 열어 주었다. 그는 구부정한 자세로 말없이 그를 맞은 뒤, 따라오라는 시늉을 하더니 앞서 나갔다. 빼곡히 들어찬 수풀 사이로 좁고 구부정한 길이 끊어질 듯 이어졌다. 그렇게 한참을 간 다음 그들은 붉은 녹이 잔뜩 낀 거대한 철문 앞에 이르렀다. 노인은 힘에 부치는 듯 몇 번 헛기침하더니 천천히 대문 손잡이의 고리를 톡톡 두드렸다. 그리고 꽤 한참 그들은 기다렸다. 서걱거리는 음울한 바람이 비와 함께 박칠규의 속을 파고들었다. 그는 한기와 공포를 느끼며 몸을 떨었다.

이윽고 큰 철문이 끼익하며 열렸다. 안은 칠흑같이 어두웠다. 그저 눈앞 저 멀리 아롱거리는 불빛만 보일 뿐이었다. 박칠규는 이제 그가 한강 물에 뛰어 내릴 때보다 더한 공포를 느끼며 억지로 그의 뒤를 따랐다. 또 그렇게 한참을 갔다. 이윽고 어둠이 눈에 익을 때쯤, 그들은 지극히 단순한 홀에 다다랐다. 중앙에는 둥근 탁자가 놓여 있었다.

그곳에는 모두 여덟 명의 사제가 앉아 있었다. 그들은 박칠규를 보더니, 나머지 9번째, 빈자리에 앉을 것을 권유했다. 그가 조심스레 착석하자 그들은 일제히 눈을 감고 알 수 없는 기도문을 중얼거렸다. 그 사이 박칠규는 불안한 눈으로 그들을 하나하나 훑어봤다. 같은 복장을 하였으나 그 모습은 모두 제각각이었다. 나이도, 얼굴 생김새도, 덩치도 모두 달랐다.

기도가 끝나자 일제히 그들은 박칠규를 쳐다봤다. 그리고 그중에 한 사제가 입을 열었다.

"여기까지 모시게 되어 영광입니다. 박칠규님." 그 사제는 그들 중 유일하게 아시아인처럼 보였다.

"아, 네…. 어떻게 제 이름을?" 박칠규는 얼떨떨한 표정으로 그를 쳐다봤다.

"네, 우선 저희 소개를 먼저 하는 게 합당할 것으로 보입니다. 박칠규님이 보시고 추측하신 데로 저희는 모두 사제입니다. 저는 요셉 신부입니다. 저는 지금 통역자로 여기 와 있습니다. 나머지 일곱 사제분은 모두 바티칸에서 오셨습니다. 파벨코란데오라는 모임의 회원이십니다."

"혹시, 저 죄송하지만 저는 종교가 없습니다. 하나님이나 신을 믿지도 않고요…. 그래서 그러는데 혹시 뭔가 착각하거나 잘못된 것이 아닌가 해서 여쭈어봅니다만…."

"아, 네 박칠규님의 종교에 대해서는, 저희는 사실 관심이 없습니다. 그리고 우선 죄송하지만, 확인이 필요해서 그런데 바지를 좀 내려주시겠습니까?"

"네? 바바바지를요?" 박칠규는 그 순간, 다큐멘터리에서 봤던 변태 사제가 떠올랐다. 갑자기 지옥으로 떨어지는 듯한 절박함이 그를 휘감았다.

"네, 바지만 내리면 됩니다. 박칠규님. 팬티는 안 내려도 됩니다." 박칠규는 요셉 신부의 말에 더더욱 소스라쳤다. 이게 지금 꿈인지 현실인지 구분도 되지 않았다. 그는 순간적으로 자리를 박차고 일어나 뛰쳐나가고 싶었다. 하지만 그를 쳐다보는 여덟 사제의 눈빛이 너무도 진지하였다. 그들의 엄숙한 모습은 마치 자신을 죽여서라도 바지를 벗길 것만 같은 느낌이었다. 그는 고개를 세차게 저으며 온 힘을 다 짜내 천천히, 또박또박 말을 했다.

"정말 팬티는 안 내려도 됩니까?"

"네, 박칠규님. 죄송하지만 잠시만 내려주시면 되겠습니다." 요셉 신부는 박칠규를 안심 시키려는 듯, 최대한 아름다운 미소를 지으며 그에게 요청했다. 결국 박칠규는 엉거주춤한 자세로 서서 혁대를 풀고 두 손을 바지춤에 꽉 잡은 후, 두려움에 떨면서 바지를 천천히 내렸다. 바지가 거의 종아리 밑으로 내려갔을 때쯤, 모든 신부가 벌떡 일어나 그의 곁으로 모여들기 시작했다. 그러고는 찬찬히 그의 종아리를 살폈다. 그러더니 알아들을 수 없는 말을 서로 주고받기 시작했다. 누군가는 언성이 높아지기도 하고 누군가는 고개를 끄덕거리고 누군가는 심지어 그의 종아리를 만지기까지 시작했다. 그리고 가장 나이가 들어 보이는 사제는 그의 침을 집게손가락에 바르더니 박칠규 종아리에 대고 문지르기까지 하였다. 박칠규는 이 경악스럽고 변태스러운 사제들의 행위에 까무러칠뻔한 충격을 받았으나 그들에게 완전히 압도당해 어쩌지를 못하고 그냥 서 있었다.

"박칠규님, 감사합니다. 이제 바지를 입으셔도 되겠습니다." 모든 사제가 제자리로 돌아가 착석을 하자, 요셉 신부가 상냥한 목소리로 말을 했다. 박칠규는 총알 같은 속도로 바지를 입고 제풀에 지쳐 자리에 풀썩 주저앉았다.

"이제, 한 가지 묻겠습니다. 박칠규님. 종아리에 난 흉터는 언제 생긴 건가요?"
"흉터요?" 그제야 그는 자신의 왼쪽 종아리에 난 흉터가 생각났다.

"아, 그 흉터는…. 음…. 제가 초등학생 때 동네 형들과 불장난하다가 생긴 상처입니다. 하도 오래전이라 저는 까마득히 잊고 있었습니다. 그런데 그 흉터를 왜 물어보시는지?" 요셉 신부는 다른 사제들과 다시 수군거리기 시작했다. 그리고는 가방에서 두툼한 문서를 꺼내, 요리조리 책장을 넘기더니 한곳을 짚으며, 박칠규에서 말을 했다.
"이 책에 적힌 내용을 지금부터 제가 번역해서 읽어 드리도록 하겠습니다." 신부는 잠시 숨을 고르더니 한 문장 한 문장 번역해 나가기 시작했다.
'남자의 종아리에 용이 보입니다. 흐리고 작지만 분명 용입니다.'

박칠규는 어안이 벙벙했다.
"그게 제 종아리에 있는 흉터하고 무슨 상관인지?" 그러자 요셉 신부는 백지에 연필로 박칠규의 흉터를 그렸다.
"어떻습니까? 박칠규님. 용과 흡사하지 않습니까?" 자신의 흉터 그림을 찬찬히 들여다본 박칠규는 이게 용인지 아닌지 아리송하기만 하였다. 자신의 흉터가 그저 못 생겼다고만 생각했지, 용을 닮았을 줄은 꿈에도 생각 못 했던 일이었다.
"하지만…. 설령 제 흉터가 용이라고 쳐도, 왜 나의 종아리가 저 책에 실려 있는 건가요? 그것도 알 수 없는 문자로?" 그러자 다시 요셉 신부는 사제들과 토론하기 시작했다. 꽤 오랫동안 많은 이야기를 주고받더니 드디어 박칠규에서 고개를 돌려 말을 했다.

"아, 네. 죄송합니다. 박칠규님. 이제 모든 사제가 동의하였으므로 진실을 말씀드리도록 하겠습니다." 그러면서 그는 1,000년 전 있었던 한 예언가와 신부에 얽힌 이야기를 그에게 상세히 털어놓았다.

"하지만…. 그럼 제 종아리에 관한 어떤 예언이 적혀있다는 건가요?" 박칠규는 신부의 이야기를 들으면 들을수록 점점 많은 의문점이 생겨났다.

"네, 그에 관한 이야기도 곧 말씀드리겠습니다. 다만 한가지 지금부터의 이야기는 너무도 중요한 이야기이기 때문에, 누구에게도 발설하지 않겠다는 서명이 꼭 필요합니다. 동의하시겠습니까?" 요셉 신부의 평온함이 갑자기 심각한 표정으로 바뀌었다.

"서명요? 만약 약속을 어기면 어떻게 되는 건가요?" 박칠규의 질문에 신부는 당혹한 표정으로 말을 더듬거리기 시작했다.

"음…. 그 그 그러니까…. 죄송합니다만…. 신부로서 이런 말씀을 드린다는 게 합당하지 않다는 것은 잘 알고 있습니다만…. 박칠규님의 목숨을 빼앗을 수도 있습니다." 그런데 그 순간 박칠규의 입에서는 예상하지도 못한 웃음이 빵하고 터졌다.

"하하하…. 어차피 죽으려고 했던 건데…. 억지로 살려놓고는…. 하하하…." 그러자 그동안 아주 심각한 표정으로 앉아있던 모든 사제가 영문도 모른 채 덩달아 웃기 시작했다.

웃음이 잦아들기 시작할 때쯤, 요셉 신부는 헛기침을 몇 번 하더니 박칠규를 빤히 쳐다보며 한 장의 문서를 내밀었다. 그곳에는 이상한 글씨가 가득 적혀있었다. 박칠규는 당황하지 않을 수 없었다. 무슨 내용인지 전혀 알 수가 없었다.

"혹시 번역된 문서는 없는가요? 신부님." 문서의 내용을 보던 신부는 급하게 다른 문서를 찾아서 내놓았다.

"죄송합니다. 라틴어로 된 문서를 드렸군요. 여기 한글로 번역된 문서입니다. 여기 요 밑에 날짜와 성명, 그리고 서명하시면 되겠습니다." 그곳에는 깨알 같은 한글 문서가 빼곡히 적혀있었다.

"와! 내용이 알아볼 수 없을 정도로 많은데요?" 박칠규는 신부에게 투덜거리며 말했다.

"아, 죄송합니다. 워낙 중요한 사안이라…. 간단하게 말씀드리자면…. 박칠규님과 관련한 어떤 사실이 세상에 알려지더라도 저희는 모든 관계를 거부할 것입니다. 즉, 저희는 당신을 전혀 알지 못할 뿐만 아니라 만난 적도 없다는 게 요지입니다."

"꼭 이렇게까지 해야 하는 건가요?" 박칠규는 길게 한숨을 쉬며 요셉 신부에게 물었다.

"그만큼 중요한 사안입니다. 저희는 지금 세상의 종말을 이야기할 것입니다."

"세상의 종말요?" 박칠규는 믿기지 않는다는 듯 혀를 내둘렀다.

"네, 가까운 미래에…. 기계들이…." 요셉 신부는 어두운 표정을 지었다.

"가까운 미래에? 기계들이?" 그러자 그 순간, 박칠규는 다시 한번 빵하고 웃음이 터졌다.

"하하하…. 그거 영화잖아요…. 아널드 형님이 주연으로 나오는 <터

미네이터>…. 하하하" 그러자 엄숙한 표정으로 앉아있던 사제들이 다시 술렁거리며 웃기 시작했다.
"하하하…. 그러면 혹시 제 아들이 미래의 반군 지도자가 되는 것은 아니겠죠? 하하하…." 박칠규는 이제 빈정거림과 헛웃음을 번갈아 하며 비꼬는 투로 신부에게 물었다.
"맞습니다. 박칠규님의 아들이…. 바로…. 그 지도자…." 요셉 신부의 목소리는 갈라지고 떨렸다.
"아, 그렇죠. 그렇죠…. 당연히 내 아들이 <존 코너> 겠죠…. 헤헤헤…. 그러면 내 여자는 <사라 코너>일 테고…. 크크크…." 박칠규는 이제 입을 삐죽거리며 아예 대 놓고 신부에게 비아냥거렸다. 그러더니 갑자기 뭔가 생각났는지 코믹한 표정을 지으며 물었다.
"혹시 그러면 <제임스 캐머런> 감독이 또 다른 예언자?" 그러자 요셉 신부는 뭔가 생각났는지 가방 속을 뒤적뒤적하더니 한 뭉치의 문서를 꺼내서 박칠규에게 흔들어 보였다.
"그에 대한 예언도 있습니다. 여기에…." 그러더니 신부는 문서 일부분을 읽기 시작했다.
'그는 움직이는 그림을 만들어 세상 사람들에게 경고하노니
당신이 만든 도구가 결국 당신을 해칠 것이고
당신이 만든 큰 배가 결국 당신을 물에 빠트리고
당신이 침략한 그 땅에서 저지른 죄를 묻게 될 것이다.'
"우리는 이것을 그가 만든 영화 <터미네이터> <타이타닉> <아바타>로 해석하였습니다. 박칠규님."
"움직이는 그림?" 박칠규는 여전히 빈정거리며 물었다.

"네, 예언자 파벨은 산업혁명 이전에 살았고 시골의 가난한 농부 출신이라 그가 꿈에서 본 대부분은 이해는커녕 표현조차 하기 힘들었을 것입니다. 그러므로 그의 표현은 모호하고 불분명할 수밖에 없으므로, 그가 본 것에 대한 정확한 해석은 우리가 짊어지고 갈 숙제로 남겼습니다." 요셉 신부의 진지한 표정에 박칠규는 머쓱한 표정을 지으며 다시 진지해지려고 노력하기 시작했다.

"그런데, 신부님. 제가 한강에 뛰어든다는 것은 어떻게 아셨습니까?"

"사실, 몰랐습니다." 신부의 의외 답변에 박칠규는 놀라움을 감출 수 없었다.

"그런데 저를 어떻게 살렸나요?" 신부는 다시 문서 한 장을 꺼내 그에게 보여주었다.

"파벨 예언자는 글만 남기신 것이 아닙니다. 글로 표현할 수 없는 부분은 그림으로 설명하였고 이를 마태오 신부가 비슷하게 그려서 문서에 남기셨습니다. 여기 이 부분을 보십시오. 이 그림이 무엇으로 보입니까? 박칠규는 문서에 눈을 가까이 대고 자세히 살펴보았다. 그림 같기도 하고 글씨 같기도 한 것이 아리송했다. 그러자 신부가 천천히 문서를 180도 돌렸다.

"확실한 거는 알파벳은 아닙니다. 한글에 가깝죠…. 우리는 이 그림을 다음으로 해석하였습니다."

'많이 힘들었구나.'

"바로 박칠규님이 강으로 뛰어든 그 마포대교 다리에 적힌 문장입니다."

파벨 예언서
떠오르는 위협
남킹 장편소설
남킹 컬렉션 #008

남킹 컬렉션 #004
심해
deep ocean
남킹 SF 장편소설

파벨 예언서 #3

남킹 현대 코미디 액션 장편소설

3. 미션 임파서블

"하지만 제가 그날 그 다리에 가서 뛰어들 것이라는 사실은 어떻게 아셨나요?" 박칠규는 호기심이 다분히 묻은 얼굴로 물었다.

"사실, 몰랐습니다." 요셉 신부는 이제 무심한 듯한 표정으로 답을 했다.

"네? 아니 그런데 어떻게?" 박칠규는 다시 한번 믿기지 않는 듯한 표정으로 따질 듯이 요셉 신부에게 물었다.

"줄곧 지켜봤습니다. 마포대교를…. 오래전부터…. 그러니까 수년 동안…. 비만 오면…."

"와! 그럼 저를 만나기 위해 수많은 사람의 자살을 목격하셨군요?" 박칠규는 신이 난 듯 물었다.

"네, 박칠규님 덕분에 수많은 사람의 목숨을 살렸습니다. 저희 요원들이…." 요셉 신부는 자부심을 느끼는 듯, 어깨를 들썩이며 대답했다.

"그리고 한결같이 종아리 흉터도 확인하셨고요?" 박칠규는 장난기 섞인 표정으로 물었다.

"네, 당연히." 요셉 신부도 코믹하게 웃기 시작했다.

"그럼, 혹시 그동안 저처럼 종아리 흉터가 있는 사람을 한 번도 보지 못했나요?"

"딱 한 사람 만났습니다. 하지만…." 요셉 신부는 누군가가 생각이 난듯한 표정으로 시선을 하늘로 돌렸다.
"하지만?"
"그에게는 이미 자식이 여러 명이었습니다."
"그럼 안되나요?" 박칠규는 약간 생소한 모습으로 신부를 쳐다봤다.

"네, 예언서에 적힌, 우리를 구원하시는 분은 독생자이십니다. 즉, 외아들입니다."
"네? 그럼 저는 오직 아들 한 명만 둘 운명인가요?" 박칠규는 서운한 듯한 표정으로 신부를 바라봤다. 죽었으면 무자식으로 끝날 운명이었는데, 살려 놓으니 외아들이 성에 차지 않는 듯 욕심을 내고 있었다.
"네, 맞습니다. 아들은 오직 한 명입니다. 그래서 사실, 저희 사제단에서 이런 의견도 있었지만…."
"어떤 의견인가요?"
"박칠규님이 불쾌해하지 않으신다고 약조하신다면 말씀드리겠습니다."
"네, 저야 뭐, 죽다가 살아났는데 무슨 애기를 듣든 말든 그게 뭔 상관이 있겠습니까. 말씀해보시죠."
"그러니까, 저희 사제단에서 박칠규님의 정자를 채취하여 인공수정을 하자는 의견이 있었습니다만…."
"네? 인공수정요?"
"네, 아무래도 그편이 서로에게 빠르고 간편하고 편한 방법이라…."

"그런데요?"
"문제는, 인공수정 시 쌍둥이 확률이 30%가 넘습니다. 그래서 도저히…. 그 방법은…."
"그러면?"
"네, 자연적인 방법이죠. 박칠규님이 결혼해서 아기를 낳는 방법 말입니다."
"이보세요! 신부님! 장가 못 가서 자살하려는 사람에게 장가를 가라고요?"
"그럼, 사랑이라도…."
"이보세요! 신부님! 하 미치겠다. 제가 아무리 노력해도 사랑이 안되니까 여자가 없는 거고 여자가 없으니까 장가를 못 가는 거 아닙니까! 이건 불가능한 미션입니다." 박칠규는 드디어 그를 휘어잡고 있던, 실연의 고통을 한꺼번에 느끼며 폭발하기 직전까지 도달했다.

"죄송합니다. 박칠규님…." 요셉 신부는 안절부절못하고 박칠규를 달래려고 노력하였다. 그럴수록 더욱 화가 치밀어 오른 박칠규는, 꺼억 꺽 흐느껴 울기 시작했다.
"박칠규님이 아기를 낳을 수 있도록 저희 사제단이 총력을 기울이도록 하겠습니다. 저희의 사명은 바티칸의 초미 관심사입니다. 저희는 절대로 박칠규님을 실망하게 하지 않을 것입니다. 그러니 노여움을 거두시고 자식 생산에 협조해주시기 바랍니다."
박칠규는 큰 한숨을 쉬었다. 이 세상에서 가장 어려운 게 여자와의 사랑이었는데 이제 그것을 의무로 꼭 해야만 한다고 생각하니 다시 죽고 싶은 마음만 들기 시작했다.

"수일 내로 한국 최고의 커플 매니저님이 방문하시어 박칠규님의 연애 사업을 한층 북돋워 주실 것입니다. 그리고 좋은 아기를 낳기 위해서는 훌륭한 몸매가 당연하므로, 한국이 자랑하는 최고의 헬스 트레이너님도 조만간 방문하실 것입니다. 그리고 그동안 여러 차례의 실연으로 망가진 박칠규님의 자존감을 되살리기 위해, 세계적인 심리학자이자 동기부여의 달인이신 이기자 박사님도 곧 연락하실 것입니다. 그리고 박칠규님의 원활한 데이트를 위해 최고급 <청담동 박초이 헤어드레서 평생 이용권>, <이태원 에메랄드 관광호텔 사우나 VIP 회원권>, <싱그러운 항공 일등석 항공권>, <백제 호텔 VVIP 룸 숙박권>, <매리 호텔 미쉐린 쉐프 컬렉션 뷔페 항상 이용권>, <아프리카 익스프레스 블랙 신용카드> 등등이 제공될 예정입니다. 그러므로 부디 아무 염려 마시고, 소중한 자식 생산에만 집중해주시기 바랍니다. 박칠규님" 요셉 신부는 준비한 목록을 쭉 읽고는 간곡한 표정으로 박칠규의 어깨를 토닥거렸다.

"아 그리고 집도 마련하였습니다. 한강의 좋은 전망과 럭셔리한 가구를 배치하였으므로, 박칠규님의 사랑을 쟁취하시는 데 부디 일조할 수 있기를 기원하는 바입니다."

****

박칠규는 새집에 들어서자마자 입을 딱 벌렸다. 평생 이런 곳에서 두 팔 뻗고 자리라고는 꿈도 꾸지 않았다. 번쩍이는 대리석 복도, 완벽하게 갖추어진 홈시어터와 주방, 사람을 압도하는 초대형 벽걸이 TV, 사람도 들어갈 만큼 넓은 냉장고, 고풍스럽고 뷰티나는 소파,

공설 운동장만 한 더블 엑스트라 킹사이즈 침대, 그리고 전면 유리에 펼쳐진, 황금빛으로 반짝거리는 한강. 불과 며칠 전까지만 해도, 저 한강 물을 벌컥벌컥 들이켜며 꼬르륵 죽어가던 그였건만, 이제는 세상 부러운 것 없는, 사치의 첨단을 달리고 있었다. 그러자 새삼, 인생사 새옹지마(塞翁之馬)라더니 틀린 말이 아님을 그는 느꼈다. 그는 자신이 살아온 초라하고 못난 인생이 갑자기 한꺼번에 솟구쳐 올라, 갑자기 눈물이 복받치듯 흘러내렸다.

"쥐구멍에도 볕들 날이 있다더니만…. 으흐흐" 그는 푹신하고 엘레강스한 소파에 엎드려 감격의 눈물을 폭포수처럼 쏟았다. 그런데 그 순간이었다.

"띵 똥, 띵 똥, 띵 똥" 벨 소리에 놀란 박칠규는 얼른 눈물을 훔치고 옷매무새를 다듬은 다음, 현관으로 나갔다. 문을 열자 우아한 모습의 중년 여성이 서 있었다.

"안녕하세요. 박칠규님. 저는 가사 도우미 김은혜입니다. 만나서 반갑습니다." 그녀는 고상한 미소를 지으며 살짝 고개 숙여 박칠규에게 인사를 했다.

"아, 네. 그런데 어떻게?" 박칠규는 엉거주춤한 자세로 그녀를 쳐다봤다.

"당연히 집안일을 하러 왔습니다. 저는 매주 3회, 월, 수, 금 오전 10시에 방문하여, 집을 청소하고 빨래 및 각종 밑반찬 및 요리를 준비할 예정입니다. 오늘은 박칠규님 얼굴 뵙고 몇 가지 여쭈어보려고 왔습니다. 지금 실례가 되지 않는다면…."

"아, 네. 그럼 들어오시기를 바랍니다. 그런데 월급은 어떻게 드리면 되나요?" 박칠규는, 그녀가 소파에 앉자마자, 가장 궁금한 것부터 먼저 물었다.

"급여는 요셉 신부님께서 알아서 주십니다. 박칠규님은 전혀 신경 안 쓰셔도 되십니다. 호호호"

"아, 네. 감사합니다."

"혹시, 좋아하는 반찬이나 요리, 음식이 있으시면 알려주세요. 박칠규님의 취향을 적극적으로 반영하도록 하겠습니다."

"헤헤헤…. 저야 뭐 다 잘 먹습니다. 사실, 그동안 없어서 못 먹었습니다. 헤헤헤…."

"그래도 좀 더 좋아하는 요리라면?"

"네, 저…. 그러니까…. 달걀 후라이?" 박칠규는 더듬더듬하며 가장 먼저 생각나는 음식을 말했다.

"네? 달걀 후라이요?"

"네, 달걀후라이." 그러자 김은혜 여사는 웃음을 참지 못하겠는지, 손으로 입을 꽉 틀어막고는 컥컥거리기 시작했다. 박칠규도 민망하고 송구스러운 마음으로 덩달아 웃기 시작했다.

"음…. 저를 간략하게 소개해 드리자면, 특급호텔에서 20년 경력의 요리사였습니다. 그러므로 한식, 일실, 중식, 양식뿐만 아니라 각종 제과 및 제빵에도 전문가가 되겠습니다. 지금 아니더라도 잡숫고 싶으신 요리가 있으면 언제든지 카톡에 남기시기를 바랍니다. 모든 요리가 가능합니다."

"와! 대단하십니다.!" 박칠규는 감탄의 눈으로 그녀를 우러러봤다.

"네, 감사합니다. 박칠규님. 그럼 오늘은 이마 돌아가겠습니다. 그럼 내일 오전에 뵙겠습니다. 주님의 은총이 가득하시길…"

"네, 감사합니다." 김은혜 여사가 돌아가고 나서 박칠규는, 이 세상 모든 요리를 다 먹을 수 있다는 생각에, 깡충깡충 깨춤을 추었다. 그러면서 새삼, 미래에 태어날 그의 아들에게 고마움을 전했다. 그는 큰소리로 외쳤다.

"고맙다! 잘난 아들아! 네 덕분에 호의호식하면서 잘 살겠다! 아들아! 사랑한다!" 그는 또 한 번 감동의 눈물을 쏟으며 소파에 벌러덩 드러누웠다. 그리고 늘 그의 가슴, 한쪽 구석을 채우고 있는 그의 첫사랑, 송미자를 떠올렸다. 그리고 중얼거렸다.

"내 영원한 사랑…"

****

벨 소리에 눈을 떴다. 박칠규는 그러고도 한참 멍하니 누워 있었다. 여전히 자신을 둘러싼 이 사치스러운 공간이 낯설기만 했다. 잠시 후 다시 벨이 울렸다. 그는 천천히 일어나 모니터를 들여다봤다. 짧은 머리의 건장한 남성이 서 있었다.

"누구신지?" 박칠규는 소심하게 물었다. 그러자 상대방은 아주 우렁차게 대답했다.

"네, 안녕하세요. 헬스 트레이너 김종국입니다." 그는 모니터에 하얀 이빨을 보이며 자랑스럽게 웃고 있었다. 박칠규는 마지 못해 오픈도어 버튼을 눌렀다. 사실 그는 오늘 하루 정도는, 대궐 같은 집을 찬찬히 살펴보면서 조용히 즐기고 싶었다.

집 안으로 들어온 김종국은 박칠규보다 훨씬 크고 우람했다. 그는 연신 해맑은 미소를 지으며, 마치 인생이 너무 즐거워 죽겠다는 표정으로 그를 주도했다.

“저는 매주 화, 목, 토 오전 10시에 방문하여 박칠규님의 다이어트 및 조각처럼 매력적인 몸매를 만들어드릴 예정입니다. 100% 기대할 만하십니다. 고객님.”

“하지만 저는 아직 헬스 기구가 준비되지 않았습니다만….” 박칠규는 무안한 표정으로 그를 쳐다봤다.

“하하하…. 농담이 심하십니다. 고객님. 하하하….” 김종국은 크게 웃으며 성큼성큼 지하 계단으로 내려가기 시작했다. 그러더니 익숙하게 지하 문 비밀번호를 누르고는 들어가더니 박칠규보고 들어오라고 손짓했다. 박칠규는 놀란 표정으로 주춤거렸다.

‘아니, 이 사람이 어떻게 우리 집 지하실 문 비밀번호를?’ 그는 의심 가득한 눈으로 컴컴한 지하실에 발을 들여놓았다. 그러자 김종국은 손뼉을 두 번 크게 쳤다. 순간 태양 빛보다 더 찬란한 형광등이 줄줄이 불을 밝혔다. 그러더니 지하실 양면의 전면 유리 블라인드가 서서히 올라갔다. 박칠규는 다시 한번 입을 쫙 벌렸다. 그곳에는 수십 종의 번쩍이는 첨단 헬스 트레이닝 기구가 배치되어 있었다. 맞은편 벽에는 온통 거울이었다. 그곳에 혈기 왕성한 헬스 트레이너와 왜소한 박칠규가 서 있었다.

“그런데 어떻게 우리 집에 헬스장이 있다는 거와 지하실 암호를 아셨나요?” 박칠규는 마치 프라이버시를 침해당한 소년처럼 미심쩍은 표정으로 물어봤다.

“하하하…. 그건 간단합니다. 고객님. 요셉 신부님과 함께 이미 이곳

헬스 시설을 사전 답사했습니다. 하하하…. 고객님의 헬스 장비를 파악해야 운동 스케줄을 짤 수가 있지 않겠습니까? 하하하…. 그리고 신부님께서 간곡하게 저에게 부탁하셨습니다…. 하하하"

"뭐라고 말씀하셨나요? 신부님께서."

"최대한 빨리 몸을 만들어달라고…." 그러면서 김종국은 자기 가방을 뒤지더니 A4 용지 한 장을 꺼내 박칠규에게 주었다. 거기에는 주간 스케줄이 적혀 있었다.

월요일 : 상체. 벤치프레스 / 데들리프트 / 덤벨 암컬

화요일 : 코어 및 유산소. 러닝 30분 / 싯업

수요일 : 하체. 스쿼트 / 런지 / 레그프레스

목요일 : 상체. 벤치프레스 / 데드리프트 / 레터럴레이즈

금요일 : 코어 및 유산소. 러닝 30분 / 싯업

토요일 : 하체. 스쿼트 / 런지 / 레그 컬

일요일 : 휴식

● 모든 운동은 12개 x 3세트 기준

"하지만 강사님은 화, 목, 토요일에만 오신다고 하시지 않으셨나요?" 박칠규는 고개를 갸우뚱하며 물었다.

"하하하…. 사실 기구 사용 방법과 자세만 정확히 익히면 제가 없어도 아주 가능합니다. 하하하…." 김종국은 헬스장 입구 옆 선반에 놓인, 하얗게 생긴 리모터 컨트롤을 집더니 파워 버튼을 눌렀다. 그러자 선반 옆에 걸려있는 길게 생긴 거울이 환하게 밝아왔다.

"헬스미러입니다. 제가 여기 없어도, 이 쌍방향 거울을 통해 충분히 트레이닝을 받으실 수 있습니다. 고객님." 박칠규는 생전 처음 보는

화면을 호기심을 가득 담고 쳐다봤다. 그 속에는 어깨가 축 처진 채 구부정하게 서 있는 자신이 보였다. 트레이너가 리모터 버튼을 한 번 더 누르자 이번에는 아리따운 몸매의 여인이 나타나 섹시한 미소를 띠며 그에게 손을 흔들었다.

“강민영 헬스 트레이너입니다. 저의 보조 강사로 박칠규님을 적극적으로 도와 드릴 겁니다.” 박칠규는 얼떨결에 한 걸음 물러난 다음, 황홀한 표정으로 그녀를 쳐다봤다. 그녀는 화면에서 자신감 넘치는, 다양한 포즈를 취하며, 마치 유혹하는 듯이 보였다. 박칠규는 그때 이런 생각을 했다. 백설 공주에 나오는 그 거울이 바로 저거일 거라고….

****

헬스 트레이너가 돌아가고 난 뒤, 그는 내친김에 집 안 구석구석을 둘러봤다. 지하 1층 지상 2층으로 구성된 건축물은 대충 200평쯤 되어 보이고 대지는 400평쯤 되었다. 집안에 소형 에스컬레이터가 있고 원목 마루를 중심으로 게임실, 당구대, 오디오 룸, 홈바, 수족관, 사우나실, 주방, 욕실, 다락방, 드레스룸이 있었다. 서재에 있는 의자는 푹신하였고 미닫이문으로 침실과 연결되었다. 입구 쪽 신발장에는 고급 구두가 각 층에 3켤레씩 모두 아홉 켤레가 놓여 있었다. 그중 하나를 꺼내 신어보니 그의 발에 딱 맞았다.

그는 바깥으로 나왔다. 오래된 나무 몇 그루가 정렬이 된 채 화단에 심겨 있었다. 수영장이 보이고 주차장에는 검은 세단이 두 대 있었다. 그리고 전기차 충전 시설이 있었다. 뒷마당에는 바비큐 시설이 있고 간이 창고에는 전동킥보드, 사이클, 낚시 및 캠핑 도구, 등산 장비, 스키 장비가 있었다. 박칠규는 살짝 궁금해졌다. 이 모든 것이 나를 위해 특별히 준비한 것인지, 아니면 누군가 이렇게 살다가, 뭐 파산이나 그런 거에 당해서 경매에 넘긴 건지? 아무튼 그로서는 갑자기 삶의 질이 심하게 바뀌어서 그런지, 혹시나 이 모든 것이 또 삽시간에 사라질 것 같은 불안감이 들었다. 굳이 따지자면, 뭐 어찌 어찌해서 그가 아들을 낳았다 치면, 이후 아들은 당연히 뺏길 것이고, 그러면 낙동강 오리알 신세가 될 텐데, 그때도 이런 삶을 보장받을 수 있는지 확신이 서지 않았다. 말하자면 현대판 씨받이인 셈이었다. 하지만 또 한편 생각해보면, 어차피 죽은 인생인데, 지금은 보너스 삶을 사는 셈. 굳이 나락으로 다시 떨어져도 아쉬운 것 없기도 하였다. 아무튼 여러 가지 복잡한 생각을 하고 있는데 또다시 벨이 울렸다. 큰 집에 사니까 꽤 귀찮을 정도로 사람이 찾아온다고 그는 생각했다. 사실 그가 예전 원룸에 살 때는 단 한 명도 그를 찾아오지 않았다.

"안녕하세요. 박칠규님. 호호호…. 저는 엘레노블 커플 매니저 박선영 부대표입니다." 늘씬한 키에 까만 정장을 하고 고혹적인 미소를 지으며 그녀는 자신을 소개했다.

"아, 네, 네, 네" 여자 앞에서 수줍음을 많이 타는 박칠규는 눈을 사방으로 돌리며 더듬더듬 말했다.

"요셉 신부님에게 말씀 많이 들었습니다. 아주 건실하고 바른 청년이시라고요…. 호호호" 박선영은 집안을 눈으로 한번 쓱 훑어보면서 천천히 고개를 끄덕끄덕하며 말했다.

"아이고, 신부님께서 그렇게 말씀해 주셨다니 고마울 따름입니다. 헤헤헤….” 박칠규는 그녀의 진한 화장품 냄새에 취해 몽환 눈으로 그녀를 쳐다봤다.
“우선, 제 소개를 살짝 하자면, 국내 최대 결혼 정보 회사인 엘레노블에서 11년째 근무하면서, 주로 혼기를 놓친 유명인, 재벌, 사업가, 전문직 종사자분들의 결혼을 성사해, 이 분야 최고로 평가받고 있습니다. 호호호…. 제 자랑 같지만요…. 호호호” 그녀는 아주 자신만만한 모습으로 박칠규를 찬찬히 뜯어 보기 시작하였다.
“아무튼 감사합니다. 보잘것없는 저를 위해서 이렇게….” 박칠규는 송구스러운 표정으로 고개를 숙였다.
“아 아닙니다. 보잘것없다뇨…. 호호호…. 이런 엄청난 집에 사시는 분이신데…. 호호호….”
“네, 뭐 이 집이야 엄청 훌륭하다만…. 사실…. 이 집이 제 것이”라고 박칠규가 말하는 순간 커플 매니저는 손가락 하나를 입에 조용히 갖다 대고는 박칠규에게 속삭였다.
“신부님께 모든 이야기를 들었습니다. 국가 정보원 혹은 미국 CIA 같은 그런 절대 밝힐 수 없는 유엔 산하 아주 중요한 기관에 근무하시고, 표면적으로 아주 평범한 보통 사람으로 보이지만, 사실 엄청난 갑부시라는….” 그녀는 동의를 구하는 듯 눈썹을 까딱까딱했다.

“아, 예…. 뭐…. 그렇죠…. 아주 중요한 일이죠…. 세상을…. 구하는….”
“네, 저도 박칠규님 처음 보는 순간 딱 느꼈습니다. 지금까지의 삶이 예사롭지 않은 인물이시라는 것을요…. 호호호…. 사실 저의 촉이 틀린 적이 없거든요…. 호호호" 그녀는 가방에서 서류 봉투를 꺼냈다.
"그래서 우선 몇 분을 추려 보았습니다. 박칠규님이 좋아하실 만한 여성으로요…. 호호호…." 그녀는 A4 크기의 여성 사진을 테이블에 쭉 늘어놓았다. 박칠규는 그 사진들을 보면서 입을 다물 수가 없었다. 어마어마한 미모의 여성들이 그를 향해 웃고 있었다.

신의 땅 물의 꽃
남킹 장편소설
남킹 컬렉션 #003

심해
남킹 장편소설
남킹 컬렉션 #004

그레고리 홀라디의 묘한 죽음 #1

장편소설

1부

세르게이 흔들리는 진동에 눈을 떴다. 하지만 한참을 누워 있었다. 몸이 천근만근이었다. 입에서 시멘트 가루가 씹혔다. 천장을 보니 어제보다 더 갈라져 있었다.
젠장 여기서 더 자기는 글렀네.
그는 억지로 상반신을 세웠다. 발밑에 검은 비닐이 채였다. 하얀 구더기 몇 마리가 한가로이 비닐 속과 겉을 돌아다녔다.
구더기보다 못한 인생.
그가 막 일어서려는 순간, 폭발음과 함께 맞은편 유리창이 산산조각이 났다. 그는 속절없이 쓰러졌다. 눈이 따끔거리더니 세상이 붉게 보이기 시작했다. 바닥이 온통 유리 조각이었다.
젠장, 그냥 방공호에서 자는 거였는데.
그는 바닥을 짚은 손에서 따끔거리는 통증을 느끼며, 억지로 다시 몸을 세웠다. 공간이 온통 저녁노을에 싸인 것처럼 보였다.
****
세르게이는 절뚝거리며 거리로 나섰다. 유리 조각을 빼낸 무릎에서 피가 흘렀다. 도시는 어제보다 좀 더 망가졌다. 교회 종탑이 구겨진 채 보도에 뒹굴었다.
이제 시끄러운 교회 종소리를 들을 일은 없겠구먼.
거리는 조용했다. 움직이는 것은 그와 개뿐이었다. 앙상한 몰골의 개는, 세르게이의 피 냄새에 끌려, 본능적으로 그의 주위를 맴돌았다. 세르게이는 주머니에 있는 칼을 만지작거렸다. 녀석이 좀 더 가까이 다가오면 칼을 휘두를 생각이었다. 그는 사흘을 내리 굶었다. 그저 보드카 한 잔 얻어 마신 게 다였다.

제발 가까이 다가오너라. 네 놈 피라도 마셔야겠다.

하지만 녀석은 그의 의중을 눈치챘는지, 일정한 간격에서 머물렀다. 할 수 없이 세르게이가 개에게 다가갔다. 하지만 그의 느린 발걸음에 비해 녀석은 아직 민첩했다. 당최 간격이 줄어들지 않았다.

뭔가 미끼라도 하나 있으면 좋으련만.

세르게이는 흐린 눈으로 사방을 둘러봤다. 숨어 있던 인간들이 하나 둘씩 모습을 드러냈다. 그들은 부서진 건물 더미에서 뭔가를 찾는 듯 보였다. 다들 한 손에는 비닐봉지를 들고 있었다. 그도 그곳으로 가려고 도로를 막 건너려는 순간, 폐차 직전의 모습을 한 트럭 한 대가 털털거리며 그의 앞에 섰다. 문이 벌컥 열리더니 여자 두 명이 내렸다. 낡은 스카프로 얼굴을 가린 그들은 성큼성큼 개에게 다가갔다. 겁을 잔뜩 집어먹은 개는 크게 짖으며 물러섰다. 그때, 키가 큰 여자가 품에서 권총을 꺼내 개에게 발사했다. 빵 하는 소리에 작은 새들이 후드득 날아갔다. 그들은 쓰러진 개를 질질 끌고 가더니 트럭 짐칸으로 던졌다. 그리고는 서둘러 차를 몰고 사라졌다. 세르게이는 입맛을 쩝쩝 다시며 트럭이 사라진 곳을 한동안 쳐다봤다.

****

세르게이는 그날 오후 운이 좋았다. 폐허 더미에서 뜯긴 커피콩 한 봉지를 발견하고 비닐봉지에 잽싸게 넣었다. 그는 사방을 천천히 둘러보고 외진 곳으로 향했다. 하지만 이내 발걸음을 멈추었다.
어이, 친구!
그가 뒤돌아보니 이반이었다. 세르게이는 봉지를 꽉 움켜쥐고 반가움을 표시했다.
이게 얼마 만이지? 이반.
글쎄, 족히 일 년은 넘은 것 같은데. 세르게이.
이반은 몇 개 남지 않은 이빨을 드러내며 합죽하게 웃었다.
벌써 그렇게 되었나?
세르게이는 이반과 헤어진 그 날을 기억하고 싶었다. 하지만 머릿속은 백지장처럼 하얬다.
너 기억력은 여전하구나. 하늘에서 폭포수처럼 쏟아지던 백린탄 기억 안 나?
이반은 그날이 마치 어제였던 것처럼, 하얗게 질린 표정을 지으며 너스레를 떨었다.
그래 맞아. 그랬지. 하늘을 온통 다 덮고도 남았지.
세르게이는 하얀 눈송이가, 하늘에 흔적을 남기며, 포물선으로 떨어지던 광경을 떠올렸다.
그때 너가 외쳤잖아. 구경나온 주민들에게. 빨리 피하라고. 저거 맞으면 살이 쪼그라드는 고통 속에 죽게 된다고. 기억 안 나?
그래 맞아. 내가 그랬지. 아무도 몰랐지. 나만 알고 있었지.
세르게이는 이제 눈 앞에 펼쳐진 곳을 벗어나려고 발버둥 치는 그날을 생생하게 끄집어냈다.
그래, 특수 공작원 출신은 너뿐이었으니까.

****

세르게이가 군에 자원입대한 것은 다분히 충동적이었다. 그는 다섯 형제의 막내였다. 집은 가난했지만, 형제간 우애는 두터웠다. 그는 특히 셋째 형 그레고리를 좋아했다. 그레고리는 형제 중 유일하게 어머니의 투명한 푸른 눈을 가지고 태어났다. 그는 금발에 콧날은 오똑하고, 얄팍한 입술에는 늘 미소를 머금었다. 그는 누구를 만나던지 항상 속삭이듯 말하였고, 상대방을 기분 좋게 만드는 단어를 자연스럽게 녹아낼 줄 알았다. 그는 여자를 좋아하고 여자들은 그를 무척 따랐다.

그는 열여덟에 옆집에 사는 옥사나를 임신시켰고, 스물셋에 정육점 주인 딸, 이리나가 배가 불러오자 그녀와 동거를 시작했다. 이때쯤 세르게이는 그레고리 집에 더 자주 머물렀다. 이리나가 아침에 차려주는 향긋한 고기 수프의 맛을 세르게이는 아직도 또렷하게 기억하고 있다. 대부분 잡뼈에 살점이라곤 쥐꼬리만큼 붙어 있는 멀건 국이었지만, 그는 목구멍으로 따스한 국을 넘길 때마다, 흐릿하게 흔적만 남아있는 어머니의 사랑을 느끼곤 하였다.

그레고리는 직업이 없었다. 하지만 수중에 돈은 떨어지지 않았다. 그는 건달이었다. 그리고 그는, 체질적으로 어디에 소속되어 누군가의 명령을 받는 것을 극히 싫어하여 늘 혼자 다녔다. 가끔 동생 세르게이가 따라오면 마지못해 같이 다니곤 하였다. 그런데도 동네에서 그에게 시비를 거는 이는 극히 드물었다. 세르게이의 첫째 형, 니콜라이 때문이었다. 그는 흑해를 기반으로 한, 마피아 조직에서 이름이 알려진 보스이자 성공한 사업가였다. 비록 지금은 감옥에 갇혀 있지만, 그의 이름은 여전히 존경과 공포의 상징이었다.

그레고리의 일상은 단순했다. 그는 집에서 오전 내내 뒹굴다, 오후 늦게 두 블록 떨어진 전당포로 가서 일거리를 받았다. 그 전당포 주인은 유대인으로 악성 고리대금업자였다. 그는 니콜라이에게 매달 일정 금액을 상납하여 보호받았으며, 그레고리에게 돈이 될만한 일거리를 줌으로써 끈끈한 유대관계를 이어갔다. 그레고리가 주로 하는 일은, 제때 돈을 갚지 못하는 채무자를 찾아가서 협박하여 돈을 받아 내는 거였다. 그는 폭력적이었지만 주먹을 자주 휘두르지는 않았다. 그는 채무자의 집이나 가게를 방문하면, 우선 내부를 샅샅이 뒤져 돈이 될만한 물건들을 먼저 챙겼다.

그레고리는 가치 있는 고문서나 골동품, 미술품들을 알아보는 안목이 좋았다. 보통 채무자의 주거 공간에는 그들이 알지 못하는 귀한 물건들이 한두 개 정도는 방치된 채 처박혀 있기 마련이었다. 그마저도 발견하지 못한 경우에는, 그는 약간이라도 돈이 될만한 물건들은 모두 쓸어 담았다. 그런데도 변제액에 한참 미치지 못하는 상황이 되면 그레고리는 채무자의 가족을 살폈다. 그들 중 제법 마음에 드는 이가 보이면 그는 조용히 따로 불러 종이쪽지를 건네며 속삭였다.

돈을 갚을 기회를 너에게 주겠다. 꼭 시간을 지키도록.

종이쪽지에는 약속 장소와 날짜, 시간이 적혀있었다. 장소는 주로 호텔이었다. 그레고리는 채무자의 아내 혹은 성숙한 딸과 관계를 맺고 빚을 탕감해주었다. 그는 특이한 습관이 하나 있었다. 그것은, 그와 잠자리를 한 여인에 관한 특징을 작은 수첩에 기록하여 늘 품속에 넘어 다녔다. 하지만 누구에게도 그것을 자랑하지는 않았다. 오직 세르게이만 알고 있었다. 세르게이는, 수첩이 꽉 차면 그레고리가 비밀리에 그 수첩을 보관하는 장소를 공유하는 유일한 형제였다. 그곳에는 수십 개의 수첩이 보관되어 있었다. 그레고리는 마치, 세상의 모든 여인을 탐하는 것이 삶의 목적이자 자부심인 것처럼 행동했다. 그리고 그런 그를 세르게이는 존경했다.

그레고리는 행복했다. 그는 두 명의 사랑스러운 자식이 있고, 착한 여자 친구가 있으며, 머잖아 자신의 욕구를 채워 줄 여인들이 예정되어 있었다. 하지만 그의 행복은 세르게이가 스물두 살이 되던 그 해, 끝을 향해 달리고 있었다.

****

유난히 무더운 여름이었다. 그레고리는 그날, 허름한 호텔에서 막 뜨거운 정사를 끝내고 시원한 맥주를 마시러 카페에 자리를 잡았다. 자신이 조금 전에 머물렀던 호텔이 바라다보이는 곳이었다. 후덥지근한 바람이 불었다. 하지만 그는 상쾌하다고 느꼈다. 조금 전까지 자신의 품에서 버둥거리며 비음을 내던 그녀는 보기 드물게 청순했다. 그는 그녀의 반짝이는 녹색 눈에서 흘러내리는 한줄기 눈물을 바라보며 생각했다.

이런 여인이라면 모든 빚을 탕감해주고도 남지.

이윽고 그레고리 앞에 큰 맥주잔이 놓였다. 그는 서둘러 맥주를 한 모금을 들이켰다. 기분 좋은 찬 기운이 목구멍을 훑고 지나갔다. 그는 흡족한 미소를 지었다. 그는 맥주잔을 내려놓기 무섭게 다시 들어 올려 꿀꺽꿀꺽 맥주를 더 삼켰다. 그리고 탁자에 맥주잔을 내려놓고 호텔을 바라봤다. 온통 그녀 생각뿐이었다.
기회가 되면 또 만나야겠어. 그런 멋진 여자를 그냥 한 번으로 끝내기는 아쉽지.
그는 습관대로 안주머니에서 작은 수첩과 볼펜을 꺼냈다. 수첩을 펼치고 그는 그녀에 대한 느낌을 적으려고 볼펜을 막 들었다. 하지만 그는 한 글자도 적을 수가 없었다. 호텔 5층 베란다에 어떤 여인이 서성거리는 모습이 그레고리의 눈에 들어왔기 때문이었다. 그는 그녀를 좀 더 가까이에서 보기 위해 자리를 박차고 호텔로 성큼성큼 걸어가기 시작했다. 가까이 갈수록 점점 선명해지는 얼굴. 바로 조금 전 그레고리의 품에 안겼던 그녀였다. 그는 기쁜 마음에 좀 더 가까이 다가가서 그녀에게 소리쳐 부르려고 하였다. 하지만 그녀는 그를 쳐다보며 베란다에서 뛰어 내렸다.
그의 발 앞에 그녀는 철퍼덕거리며 부서졌다. 그녀의 팔과 다리가 기괴한 모습으로 부러졌다. 머리는 깨져 골수가 흘러나왔다. 배는 터져 창자가 쏟아졌다. 얼굴 반쪽은 심하게 찢어졌고 눈알은 으깨어졌다. 그런 와중에도 그녀는 그레고리를 응시하며 저주 섞인 말을 내뱉었다.
안돼! 이 더러운 개자식아!
사람들이 몰려나와 그녀 주변을 에워쌌다. 하지만 그녀의 참혹한 모습을 목격한 이들은 모두 중얼거리며 눈을 돌릴 수밖에 없었다. 그녀의 한쪽 눈은 그레고리를 응시한 채, 그녀는 더 이상 움직이지 않았다. 사람들 사이에 고성이 오가고 의사로 보이는 이가 달려와 그녀의 코와 목에 손가락을 갖다 대었다. 그리고 고개를 설레설레 저었다. 그녀의 얼굴에 누군가 손수건을 덮었다. 어떤 이는 성호를 그었고 어린이는 울음을 터트렸다. 그레고리는 끝을 알 수 없는 심연에 빠진 듯, 무겁고 참담한 표정으로 발걸음을 돌렸다.

****

세르게이는 지금껏 그런 모습 그런 표정의 그레고리를 본 적이 없었다. 그레고리는 열악한 상황에서도 미소를 잃지 않는 도도한 자존감을 늘 풍기고 다녔다. 하지만 그날, 집으로 어기적어기적 들어온 그레고리는 가족의 반가움도 외면한 채 곧바로 세면대로 가 한동안 나오지 않았다. 물소리만 들렸다. 세르게이와 이리나는 감히 그레고리에게 다가가 물어볼 엄두가 나지 않았다.

뭔가 크게 잘못된 게 틀림없어!

세르게이는 형수를 쳐다보며 말했다.

형수님, 제가 한번 알아보겠습니다.

밖으로 나온 세르게이는 잠시 어디로 가야 할지 고민했다.

그래, 전당포부터 가야겠다. 그 늙은 유대인 영감탱이가 뭔가 나쁜 짓을 한 게 틀림없어.

하지만 세르게이가 전당포 쪽으로 발길을 돌리려는 순간, 그는 두 명의 경찰과 마주쳤다. 세르게이는 그들이 반가웠다. 왜냐하면 그들은 매달 한두 차례 형 집을 방문하여 돈을 받아 가는 익숙한 얼굴이었다. 그중에 한 사람은 그레고리의 친구이기도 한, 파울로였다. 그레고리는 그동안 수익의 일정 부분을 경찰 입막음으로 상납하였다.

세르게이! 마침 잘 만났다. 그레고리 지금 어디에 있어?

파울로가 어두운 표정으로 물었다. 평소와는 다른 모습이었다. 그는 그레고리 집을 방문할 때면, 늘 지나치게 반가운 표정으로 들어와 이것저것 실없는 농담을 하다가 그레고리가 건네는 돈을 잽싸게 주머니에 넣고 사라지곤 하였다. 세르게이는 뭔가 불길함을 직감했다.

형은 왜 찾는데? 무슨 일이 있는 거야?

세르게이는 굳은 얼굴로 파울로를 바라봤다.

응, 여자가 호텔 베란다에서 뛰어내려 죽었어.

그 말을 듣는 순간, 세르게이는 단박에 어떤 상황인지 알아차렸다. 형이 그 여자와 같이 있었다는 사실을.

그 죽은 여자는 누구야?

세르게이는 그레고리가 건드린 동네 여자들 대부분은 알고 있었다.

우리 동네 여자가 아냐.

파울로도 세르게이가 묻는 의도를 알아챈 듯이 대답했다.

그런데 뭐가 문제야? 설마 우리 형이 그 여자를 베란다에서 떠밀기라도 했다는 거야?

세르게이는 삐딱한 표정으로 경찰들을 째려봤다.

아니, 그건 아니야. 여자가 스스로 뛰어내렸어. 왜냐하면 그레고리는 그 시간, 카페에서 맥주를 마시고 있었으니까. 카페 종업원이 이미 증언했어.

그런데?

세르게이는 이제 건방진 표정으로 그들 앞에서 건들거렸다. 조금 전의 불길함이 기우였다는 확신이 들어서였다.
문제는 그 여자의 친척 중 한 사람이 정보국 소속 고위 간부라는 거야. 한마디로 잘못 건드린 거지.
파울로가 딱하다는 표정으로 세르게이를 쳐다봤다.

****

그레고리는 강간 혐의로 체포되었다. 그리고 그를 돕기 위해, 세르게이의 둘째 형, 올리거가 발 벗고 나섰다. 그는 수감 중인 니콜라이 형을 대신해 시시포스 지역 마피아 총책을 맡고 있었다. 그는 지역 정치인, 유력 인사, 경찰 관계자, 법조인들을 두루 만나고 다녔다. 세르게이는 형의 차를 운전하며 줄곧 그와 동행했다. 그들의 만남은 매우 짧았다. 대화한다기보다는 협박성 회유에 가까웠다. 그도 그럴 것이 이 지역 출신 인사 중 형의 도움을 받지 않은 이는 손에 꼽을 정도였다.
결국 타협이 이루어졌다. 감옥 대신 군에 입대하여, 그레고리가 시시포스를 당분간 떠나는 것으로 마무리하였다.
비가 피처럼 끈적거리며 내리던 날이었다. 구름이 어둑어둑하게 끼어 그레고리의 얼굴을 더욱 어둡게 하였다. 세르게이가 운전대를 잡았다. 그레고리는 무거운 배낭을 트렁크에 던지듯 집어넣고 세르게이 옆자리에 올라탔다. 그를 따라 나온 이리나는 이미 눈두덩이 퉁퉁 부어있었다. 비는 구부정하게 뻗은 길과 풀밭을 적시고, 그녀의 부풀어 오른 배를 감싼 얇은 임신복을 적셨다.
세르게이는 기나긴 길에 놓인 무정형의 불안을 보았다. 이제껏 느껴보지 못한 불길함과 안타까움이 한꺼번에 솟아났다. 하지만 그레고리는 편안한 표정이었다. 그는 마치 흐려진 방에 꺼진 불꽃에 대한 어떤 미련도 두지 않은 것처럼 무심하게 밖을 쳐다봤다. 무엇으로도 거역할 수 없는 운명의 연기만 허공에 낮게 날렸다.
이리나는 점점 멀어졌다. 차는 좁은 도로를 벗어나 경사가 완만한 길을 따라 상점, 카페, 레스토랑이 줄지어 있는 시내로 접어들었다. 거리는 붐비고 음악은 산만하게 다른 방향으로 흩어졌다. 번화가를 벗어나며 도시의 풍경이 조금씩 변해갔다. 시내의 공원과 정원이 사라지고, 늙은 농부가 구부정한 시선을 가득 채운 벌판이 나타났다. 세르게이는 속도를 높였다. 비가 거세게 쏟아졌다.

****

훈련소에 도착하니 어느새 해가 떨어졌다. 비는 그쳤다. 그레고리는 깊은 한숨을 쉬며 내렸다. 세르게이가 짐을 들고 입구에 있는 헌병 초소에 다가갔다. 모든 것이 정지한 공기 속에 머무는 듯, 그들의 모습은 인형처럼 보였다. 간단한 조서가 이루어졌다. 반가운 얼굴을 짓는 접수처의 그녀는 그레고리를 마치 오래된 연인처럼 빤히 쳐다보며, 그가 내민 서류에 대해 눈짓을 이어갔다. 그녀의 볼이 꽤 볼록하다고 느낀 세르게이는 뒤편에 붙은 포스트를 하나하나 유심히 지켜보며 잠시 후 벌어질 형과의 작별을 마음속에 그렸다.
어느 것 하나 익숙하지 않은 이별. 그레고리는 마침내 세르게이의 손을 잡으며 오랫동안 간직한 말을 쏟아 냈다.
형수를 잘 부탁해!
그레고리는 검은 커튼이 두텁게 내려온 방으로 사라졌다. 세르게이는 한동안 그곳에 머물렀다. 마치 그는 다음의 행동이 어떻게 이어져야 할지를 모르는 초등학생처럼 서성거렸다.

그러고 보니 형이 없는 세상을 살아 본 적이 없었구나

세르게이는 벽을 장식한 포스터를 하나하나 다시 짚어 가기 시작했다. 검은 하늘은 쌀쌀한 날을 예고했다. 더위는 한풀 꺾였다. 습도는 높으나 숨쉬기에 적당한 온도가 무엇이든 집중하지 않으면 안 될 정도로 혼란이 다가왔다. 세르게이는 마침내 접수처에 앉은 여인에게 말을 걸었다.

특수 부대에 지원하고 싶습니다.

여인은 그가 내민 주민증을 비딱한 각도로 쳐다봤다. 그리고 아무 말 없이 그의 신상을 적고 서류를 세르게이에게 내밀었다.

여기, 여기, 여기 서명을 하세요.

세르게이가 서명한 서류를 내밀자 그녀는 무채색의 표정으로 말했다.

전과는?

없습니다.

모든 것은 조회를 통해 다 드러납니다. 다시 한번 묻겠습니다. 전과는?

없습니다.

세르게이의 말이 떨어지기 무섭게 그녀는 크고 붉은 도장을 서류의 중간에 눌렀다.

저기 저 검은 문으로 들어가세요.

세르게이는 망설임 없이 그곳으로 들어갔다. 들어가서 보니 또 다른 정적 위에 다른 문이 놓였다. 잠시 망설인 그는, 이곳을 지난 그리고리의 숨결을 느끼듯 익숙하게 다시 문을 열었다. 지나치게 큰 연병장이 나왔다.

그레고리 올라디의 묘한 죽음

남킹

남킹 컬렉션 #001

그레고리 흘라디의 묘한 죽음 #2

장편소설

2부

빅토르 훌라디는 담배 냄새에 눈을 떴다. 이어 딸깍거리는 소리에 진한 커피 향이 몰려왔다. 그는 미간을 찌푸리며 돌아누워 눈을 감았다. 늘 익숙한 아침 풍경이지만 그는 여전히 적응하지 못하고 있다.

소피아! 제발 창문 좀 열고 담배 피워!

지금 창문을 연다고? 맙소사! 당신, 날아가고 싶은 거야?

빅토르는 눈을 살짝 떴다. 그리고 좌측 전면을 온통 차지하는 창을 바라봤다. 일정한 간격으로 심어 놓은 가로수가 미친 듯 춤을 췄다. 멀리 보이는 숲은 웅성거리고 있었다. 가까이에는, 흰 가운을 입은 연구원 몇 명이 벽면 구석에 둘러선 채 불안한 모습으로 담배를 피우고 있었다.

어휴, 중독이 뭔지? 이런 날에도 저렇게 한 모금 빨려고 저 고생을 하고 있으니.

빅토르는 반대편으로 돌아누워 다시 잠을 청했다. 몸이 천근만근이었다. 그는 새벽 다섯 시에 겨우 잘 수 있었다. 하지만 마음은 편치 않았다. 실험이 계속해서 실패했다. 머릿속이 마치 스파게티처럼 얽히고설켰다. 미적분학, 행렬 대수학, 상미분 방정식, 푸리에 변환 등의 수학적 도구와 알고리즘이 그를 갉아 먹고 있었다. 일촉즉발의 시한폭탄 같았다. 그런데 담배 냄새가 다시 그의 후각을 맹공격했다.

소피아! 제발! 담배 좀 끄란 말이야! 내 머리가 터질 지경이야!
빅토르는 벌떡 일어났다. 그리고 성큼성큼 그녀에게로 다가가 그녀의 손가락에 달린 담배를 뺏어 재떨이에 비벼 껐다. 담배꽁초는 마지막 숨을 헐떡이듯 한줄기의 푸른 연기를 뿜으며 숨을 거뒀다. 이 장면을 지켜보던 소피아의 입술이 빈정거림으로 비뚤어지기 시작했다.
내 언젠가 이런 날이 올 줄 알았어! 이 저급한 사기꾼 같은 녀석아!

뭐? 사기꾼이라고?
그래! 이 변태 같은 자식아! 이 집에 올 때 너 입으로 뭐라고 씨부렁거렸는지 기억도 나지 않지? 이 바보 새끼야!
빅토르는 그녀가 지금 무슨 얘기를 하는지 잘 알고 있다. 3년 전, 술집에서 첫눈에 소피아에게 홀딱 빠졌던 그는 이내 그녀의 상태를 파악하였다. 그녀는 술과 담배, 커피와 섹스에 빠져 있었다. 이미 예정된 불행이었다. 하지만 그는 그녀가 미치도록 좋았다. 마치 자석 같다. 정확히 정반대의 세상에 사는 음극. 양극의 무모한 끌림은 모든 것을 포용했다.
소피아! 이 집에서 내 눈치 볼 것 없어. 알았지! 너 하고 싶은데로 해! 나는 너의 모든 것을 사랑해. 무슨 말인지 알겠지! 너만 있으면 돼!
****
다섯 형제 중 넷째인 빅토르는 다른 형제와 달랐다. 그는 소심하고

내성적이고 외톨이였다. 외모도 달랐다. 그는 작고 깡마르고 약간 구부정했다. 다섯 형제 중 누가 봐도 그는 돌연변이였다. 그의 출생은, 그러므로 부모에겐 갈등의 씨앗이었다. 그가 세 살이 되던 해, 막내 세르게이를 출산 한 어머니는 집을 나가 버렸다. 아버지는 알코올 중독자였다. 빈 보드카 병이 집안 곳곳을 채웠다. 그러므로 집안의 중심은 첫째 형 니콜라이였다. 그는 폭력으로 동생을 다스렸다.

빅토르가 고등학교에 진학할 때쯤, 흘라디 형제는 시시포스 시에서 두 가지로 꽤 유명하였다. 니콜라이의 뛰어난 사업 수완과 빅토르의 천재성. 빅토르는 물리학과 수학에 남다른 재능을 보였다. 그는 집이 무서웠다. 아버지와 형 니콜라이가 두려웠다. 그는 학교가 파하면 도서관과 실험실에 틀어박혀 뉴턴의 운동 법칙, 키네마틱스, 다양체와 벡터 해석을 공부하고, 토르크 및 관성 모멘트, 제어 이론과 같은 엔지니어링 수학 개념도 들여다봤다. 그는 더 나아가 상태 공간 모델링, 라플라스 변환, PID 제어 등의 수학 개념을 응용하기 시작했고, 확률과 통계, 최적화 이론 등의 수학적 기법을 활용하고 디지털 신호 처리, 필터링, 확률론적 신호 처리 등의 수학적 원리를 응용했다. 이 외에도 전기공학, 물리학, 컴퓨터 과학 등 다양한 학문 분야를 파고들었다. 그는 춥고 쓸쓸한, 도서관의 딱딱한 의자에 앉아 쏟아지는 졸음을 참으며 악착같이 공부했다. 그는 현실의 고통을 더 큰 고통으로 해결했다.

이즈음, 그의 학문에 대한 몰입을 방해하는 것은 딱 하나였다. 정육점 주인 딸, 이리나였다. 초등학교 단짝이었던 그녀와의 인연은 중학교, 고등학교에도 같은 반으로 이어졌다. 하지만 외골수 천재였던 빅토르와는 달리 그녀는 무척 활달하고 외향적이었다. 그녀 주위에는 항상 친구들이 차고 넘쳤다. 그 틈을 비집고 빅토르가 설 자리는 없었다. 그는 늘 그녀를 바라보지만, 그녀의 반짝이는 눈은 항상 주위의 다른 이들에게 머물렀다.

****

소피아! 미안해. 그냥 일이 안 풀려서 그런 거야.

빅토르가 한발 물러서며 그녀를 쳐다봤다. 하지만 소피아의 시선은 오른쪽 벽면을 꽉 채우고 있는 와인 진열대로 쏠렸다. 그녀는 진열대 가장 높은 곳에 있는 로얄 드마리아 병을 잡더니 익숙하게 병을 땄다. 그리고 와인 잔에 가득 부었다.

미안해 여보. 정말 미안해.

빅토르가 소피아의 목에 키스했다. 그리고 손끝으로 그녀의 앞머리를 살며시 쓸어 넘겼다. 하지만 그녀는 그에 대한 어떤 반응도 없이 와인을 맥주 마시듯이 꿀꺽꿀꺽 삼켰다. 그리고 빈 잔을 탁하고 탁자에 놓았다. 그녀는 다시 잔을 가득 채웠다. 그녀의 뺨이 씰룩였다.

소피아. 이제 그만해. 제발.

빅토르가 그녀의 허리에 손바닥을 얹었다. 그리고 술잔을 뺏으려고 했다. 하지만 그녀는 격렬하게 저항했다. 와인 잔이 그녀의 손에서 튕겨 나와 사방에 피를 토하며 바닥에 부딪혀 산산조각이 났다.

내게 손대지 마! 이 더러운 개자식아!

눈물이 그렁그렁한 눈. 소피아는 이제 와인 병을 통째로 들고 마시기 시작했다. 그녀의 목이 일정한 간격으로 꿀떡꿀떡했다. 비가 바람을 안고 격렬하게 쏟아졌다. 입에서 삐져나온 한줄기 와인이 그녀의 목을 타고 피처럼 흘렀다. 피는 그녀의 반투명 실크 잠옷을 적시고 가슴을 물들이고 다리를 쓰다듬으며 마침내 바닥에 고여 똬리를 틀었다. 그동안 빅토르는 아무것도 할 수 없었다. 빈 곳. 텅 빈 가슴. 그곳으로 그에게 익숙한 고통이 채워졌다.

****

빅토르가 고등학교 2학년이던 어느 날 그는 옥스퍼드 대학에서 초청장을 받았다. 학교가 들썩거렸다. 개교 이래 이런 경사는 처음이었다. 유럽 변방의 자그마한 도시이기에 소문은 삽시간에 퍼졌다. 그는 이제 시시포스에서 누구나 다 아는 인물이 되었다. 하지만 그는 불안하고 슬펐다. 그의 마지막 학기였다. 어쩌면 이리나를 두 번 다시 볼 수 없을지도 모른다고 생각했다. 그는 조급했다. 그는 생에 처음으로 연애편지를 썼다.

그 편지의 내용을 아는 이는 그의 동생 세르게이뿐이다. 왜냐면 그가 직접 이리나에게 편지를 전달했기 때문이다. 이후 세르게이는 형의 심부름을 몇 번 더 해야만 했다. 그리고 마침내 이리나는 그의 사랑을 받아들였다. 사실 그녀는 빅토르를 오래전부터 좋아하고 있었다. 그녀는 항상 그의 시선이 자신을 향하고 있다는 사실이 고마웠다. 그리고 언젠가 그의 여인이 될 것이라는 막연한 운명을 받아들이고 있었다. 하지만 그들 앞에 놓인 시간은 겨우 한 달이었다.

짧은 시간은 그들을 더욱 뜨겁게 만들었다. 빅토르는 처음으로 형 니콜라이 사무실로 찾아가 돈을 빌렸다. 금반지와 꽃다발을 샀다. 그리고 둘째 형 올리거에게 부탁하여 근사한 레스토랑과 호텔을 한 달 예약했다. 그가 영국으로 가기 전, 한 달은 그의 생에 가장 행복한 날이었다.

****

빅토르는 무겁고 지친 걸음으로 실험실로 향했다. 머릿속에서 수많은 의식이 회오리치다 이내, 통증으로 뜨겁게 타오르기 시작했다. 고통은 혈관을 타고 몸 전체로 내려가면서 세포를 쥐어짜고 있었다. 그는 자조 섞인 신음을 냈다. 소피아는 그에게 늪이고 끝을 알 수 없는 심연이었다. 하지만 여전히 그녀를 사랑했다. 그런데도 그녀에게 곧 버림받게 되리라는 것도 직감하였다. 이리나처럼.

실험실 책상에는 신입연구원 이력서가 놓여 있었다. 세 명의 각기 다른 후보자들의 신상이 관련 연구 논문과 함께 인쇄되어 곱게 펼쳐져 있었다. 하지만 빅토르는 관심이 없었다. 그는 수개월째 실패로 이어지고 있는 자신의 실험과 소피아 문제만 해도 머리가 빠개질 지경이었다. 그는 자신의 모니터에 달린 세 개의 카메라에 얼굴과 두 손바닥을 갖다 대어 인증 절차를 수행했다. 곧이어 일곱 개의 모니터에는 수많은 데이터가 각자의 양식으로 펼쳐졌다. 그는 빠르게 모니터를 훑어가며 전날 실험의 오차에 관한 교정 작업을 시작했다. 익숙함과 편안함이 묘하게 그를 위로했다.

그래, 수학만이 나를 위로해주지. 이 세상 그 누구도 나를 이해하지 못해. 오직 숫자만이 나를 알아보지.

그는 점점 숫자에 빠져들기 시작했다. 그의 눈은 계산과 수식을 읽고 있는 동안 반짝이며 차분하고 집중력 있게 움직였다. 그의 얼굴은 숫자들에 대한 깊은 애정과 이해를 보여주었다. 마치 무한한 우주 속에서 은하들을 탐험하는 이들처럼, 그의 사고는 끊임없이 추상적인 개념과 논리적인 규칙들 사이를 여행했다. 논리적인 접근과 분석적인 사고가 그의 특기였고, 수학의 신비한 세계에 푹 빠져 있을 때면 세상의 모든 문제가 해결될 것만 같은 기분을 느꼈다. 고통이 사라지기 시작했다.

숫자와 수식은 그에게 익숙하고 친숙한 언어였지만, 현실에서 맞닥뜨리는 인간의 감정과 상호작용은 그의 영역을 벗어난 것이었다. 그는 수학과 숫자에 빠져 있는 동안 흔히 다른 사람들이 느끼는 현실의 제약과는 다른 세계에 존재하는 듯한 느낌을 받았다. 그리고 그 세계 속에서 그는 숫자와 수식을 통해 자유롭게 날아다니며, 마음속에 있는 무한한 아이디어들을 형상화할 수 있었다. 그는 비로소 페가수스가 되었다.

하지만 그의 날갯짓은 연구소장 블라디미르의 등장으로 곧 사라졌다.

안녕하세요? 흘라디 박사님. 이번 신입연구원 누가 마음에 들어요?

아, 네, 그게, 저, 그러니까….

빅토르는 이제 막 꿈에서 깨어난 아이처럼 제대로 답을 할 수가 없었다.

이력서를 보지 않았군요?

블라디미르는 빅토르의 표정을 정확히 해석하고 있었다. 그도 그럴 것이 그들은 이 연구소 창립 멤버로 지금까지 동고동락하고 있었다.

네, 아직….
두 시간 뒤에 면접이 잡혀 있는 것은 알고 계시죠?
연구소장은 손목시계를 쳐다보며 물었다.
네, 알고 있습니다. 소장님.
빅토르는 모니터 한쪽 귀퉁이에 표시되어있는 디지털시계를 확인하며 답했다.
이번에 아주 흥미로운 친구가 지원했어요. 아마 흘라디 박사님도 좋아하실 겁니다.
아, 그런가요?
네, 확신합니다. 이력서 한 번 보세요. 우리 박사님만큼 화려합니다. 수학 관련 상이란 상은 모조리 싹쓸이 한 친굽니다.
연구소장은 흡족한 미소를 지으며 빅토르의 어깨를 토닥거렸다. 그리고 실험실 문을 나섰다. 그러다 문득 생각이 났는지 돌아서며 말했다.
아, 그 친구 출생지가 우리 박사님과 같더군요.
그럼, 시시포스?
네, 맞아요. 시시포스. 아무튼 축복받은 도시라니까. 코딱지만 한 시에서 이렇게 천재가 줄줄이 나오다니….
연구소장은 혀를 끌끌 차며 실험실을 나갔다. 빅토르는 황급히 이력서를 찾아 훑어보기 시작했다.
이름 : 나타샤 필라토바

나이 : 17세

성별 : 여자

출생지 : 시시포스

오데사 중앙 고등학교 졸업.

케임브리지 대학교 수학 학사.

ETH 취리히 인공지능학과 석, 박사….

****

빅토르는 옥스퍼드에서 무척 단순하면서도 바쁘게 살았다. 강의실과 도서관을 오가며 틈나는 대로 아르바이트를 하여 돈을 모았다. 사실 그의 학비는 첫째 형 니콜라이가 매달 보내는 돈으로 충분하였다. 그가 따로 모으는 돈은 순전히 이리나와 함께 하기 위함이었다. 방학 때 그들은 영국 전역을 돌아다닐 생각이었다. 일종의 신혼여행인 셈이다. 하지만 그들의 계획은 이리나 아버지가 운영하는 정육점이 어려움을 겪으면서 틀어졌다.

동네에 대형 할인점이 생겼다. 지하, 지상 5층, 옥외 주차장을 제외한, 4층까지 매장으로 가득 채운 할인점은 그야말로 제품의 천국이었다. 정육 할인 코너에는 유럽 전역에서 생산한 값싸고 품질 좋은 육가공품이 신선한 냉장고 바람 속에 고객을 유혹했다. 그 여파로, 성당 앞 광장을 중심으로 사방으로 줄지어 늘어섰던 작은 가게들이 하나둘씩 문을 닫기 시작했다. 이리나 아버지는 사채를 끌어들였다. 그리고 이자는 눈덩이처럼 불어났다. 정육점 직원이 모두 떠났다. 그 자리를 이리나가 메웠다. 자연히 빅토르와의 만남이 소원해질 수밖에 없었다. 그렇게 일 년이 흘렀다.

그러던 어느 날 빅토르는 이리나에게서 결별 편지를 받았다. 그녀를 마지막으로 본 지 2개월 후였다. 빅토르는 만사를 제쳐두고 시시포스로 향했다. 절망과 분노가 그를 휘어잡았다.

****

그런데 왜 그레고리야? 왜 하필이면 형을 택한 거냐고? 너도 알고 있잖아! 우리 형이 어떤 인간인지. 시시포스에서 형이 집적거리지 않은 여자가 있으면 나와보라고 해! 왜 하필이면 그런 인간을 사랑하는 거냐고?

당신 말이 맞아요. 빅토르. 그레고리는 천하의 바람둥이죠. 하지만….

하지만?

내 아버지를 살린 사람이잖아요.

그깟 돈! 내가 갚는다고 했잖아! 조금만 참으면 내가 다 갚는다고 했잖아!

당신이 갚을 수 있을 만큼의 적은 돈이 아니에요! 빅토르.

설령 그렇다고 하더라도. 내가 형 니콜라이에게 찾아가서 사정할 수도 있었단 말이야!

바보같이. 당신도 알잖아요. 니콜라이는 우리가 사귀는 것을 싫어해요. 불쌍한 빅토르. 당신은 당신이 얼마나 가치 있는 줄을 모르고 있어요. 당신은 시시포스가 선사한 축복이에요. 우리 모두 알고 있어요. 당신만 모르는 거에요. 저는 그냥 하찮은 정육점 집 딸일 뿐이에요. 언젠가 당신의 발목을 붙잡을 거예요.
멍청한 소리. 내가 사랑하는 여자는 오직 너뿐인 거야. 앞으로도 그럴 거고.
하지만 당신은 내가 임신한 사실을 받아들이기를 망설였잖아요.
그건, 젠장. 이리나. 내가 아직 학생이고 여전히 니콜라이에게 손을 벌리는 신세잖아. 내가 자립하게 되면, 그때가 되면, 우리는 얼마든지 아기를 낳을 수 있잖아.
불쌍한 빅토르! 나는 단지 그날, 당신에게 임신한 사실을 말했을 때 그때의 당신 표정을 본 거예요. 빅토르. 무슨 말인지 모르겠어요? 당신의 그 어두운 표정을 본 거란 말이에요. 당신은 너무 순진해요. 당신 얼굴은 숨김없이 당신을 나타내요. 알겠어요? 당신은 혼란스러워했어요. 우리의 첫 번째 아기란 말이에요!
그래서 그레고리를 찾아간 거야? 그 바보 같은 바람둥이에게 간 거냐고? 응? 말해봐! 그래서 그가 네 아버지 빚을 탕감해준다는 조건으로 당신을 호텔로 불러내 당신을 짓밟도록 놔둔 거야? 그런 거야?
당신은 정말 아무것도 모르는군요! 그는 그날 내게 손조차 잡지 않았어요! 당신 형은 내가 누군가의 아이를 배고 있다는 것을 발견하고는 재정적으로 도와주려고 했어요. 무슨 말인지 모르겠어요? 제가 매달렸어요. 제가 같이 살자고 했어요. 무슨 말인지 알겠어요? 세상 사람들이 다 손가락질해도 나는 그레고리의 선한 마음을 그날 본 거예요.
****

면접장은 연구소장실 옆 회의실이었다. 세 명의 후보자가 정장 차림으로 대기실에서 서성거렸다. 빅토르는 그들을 한 번씩 훑어보고는 회의실로 들어갔다. 연구소장과 부소장은 이미 중간 자리에 앉아 있었다. 빅토르는 연구소장 옆에 앉아 이력서를 펼쳤다. 곧이어 안내원이 후보자 한 명을 호출하였다. 왜소한 체격의 어린 소녀가 살포시 들어와 맞은편 의자에 앉았다.

연구소장이 먼저 입을 열었다.

이름은?

나타샤 필라토바입니다.

그녀는 옅은 미소를 지으며 대답했다.

이곳 섬까지 오신다고 수고했습니다. 뱃멀미는 하지 않았나요?

네 하지 않았습니다. 제 조상이 어부인지라 유전적으로 멀미에는 강합니다. 아무튼 덕분에 흑해의 눈부신 아름다움을 실컷 감상했습니다. 감사합니다.

연구소장이 흡족한 미소를 지었다. 하지만 옆에 앉은 빅토르는 초조한 기색이 역력했다.

혹시 여기가 무엇을 연구하는 곳인지는 알고 있나요?

네, 오기 전 인터넷을 좀 뒤졌습니다.

좋습니다. 공개된 자료 외에 이곳 연구소에 대하여 간략하게 말씀드리자면 우선, 흑해 연안 기업이 공동 출자한 군사학 연구소입니다. 그렇다고 무기를 직접 만들거나 연구하는 것은 아닙니다. 그 기반이 되는 기초 학문을 탐구하는 것이라고 보는 것이 타당합니다.

네, 잘 알겠습니다.

예를 들면 이런 것입니다. ICBM. 즉 대륙간 탄도 미사일 (ICBM)을 개발한다면 우리는 미사일의 운동, 비행경로, 궤도 추적, 힘의 역학적 요소, 엔진 추진제와 제어 시스템, 회로 설계, 연소화학 반응, 컴퓨터 시뮬레이션을 구현하기 위한 물리학, 역학, 수학, 전기공학, 물리화학, 컴퓨터 과학과 소프트웨어 개발에 관한 지식이 필요합니다.

와! 무척 많은 분야의 지식이 필요하군요.
그렇죠. 그래서 각 분야의 전문가들이 여기 모여 있는 겁니다. 나타샤 씨는 인공지능에 대하여 무척 관심이 많은 것으로 알고 있습니다만….
네, 맞습니다. 어릴 때는 벡터, 행렬, 선형 변환 등 선형 대수학과 미적분학, 확률 및 통계에 관심이 많았습니다. 그리고 케임브리지에서는 정보 이론과 최적화 이론, 그래프 이론들을 배웠습니다. 취리히에서는 선형 회귀 및 분류 모델에 관한 기초적인 수학 개념과 알고리즘을 연구하였고요, 최근에는 딥러닝 알고리즘에 대한 이해와 자료 구조를 연구하면서….
혹시 아버지 이름이?
드디어 조급함을 참지 못하고 빅토르가 그녀에게 물었다.
네? 아 아버지는 일리아 필라토바입니다.
나타샤는 느닷없는 질문에 살짝 당황하였다.
연구원을 뽑는데 아버지 이름을 왜 물어보지?
혹시….
빅토르는 말끝을 흐리며 망설이듯 질문을 이어갔다.

혹시, 이런 질문을 하기가 좀 그렇긴 하지만, 혹시 생부인가요?
…생부가 아닙니다. 저의 생부는 꽤 오래전에 실종되셨습니다.
혹시, 그분의 성함은?
그레고리입니다. 그레고리 흘라디입니다. 그런데 혹시 저를 아시는 건가요?
나타샤는 미소를 풀지 않은 채 빅토르를 쳐다봤다. 나타샤의 눈이 무척 반짝였다.

남킹 컬렉션 #001
그레고리 홀라디의
묘한 죽음
남킹 장편소설

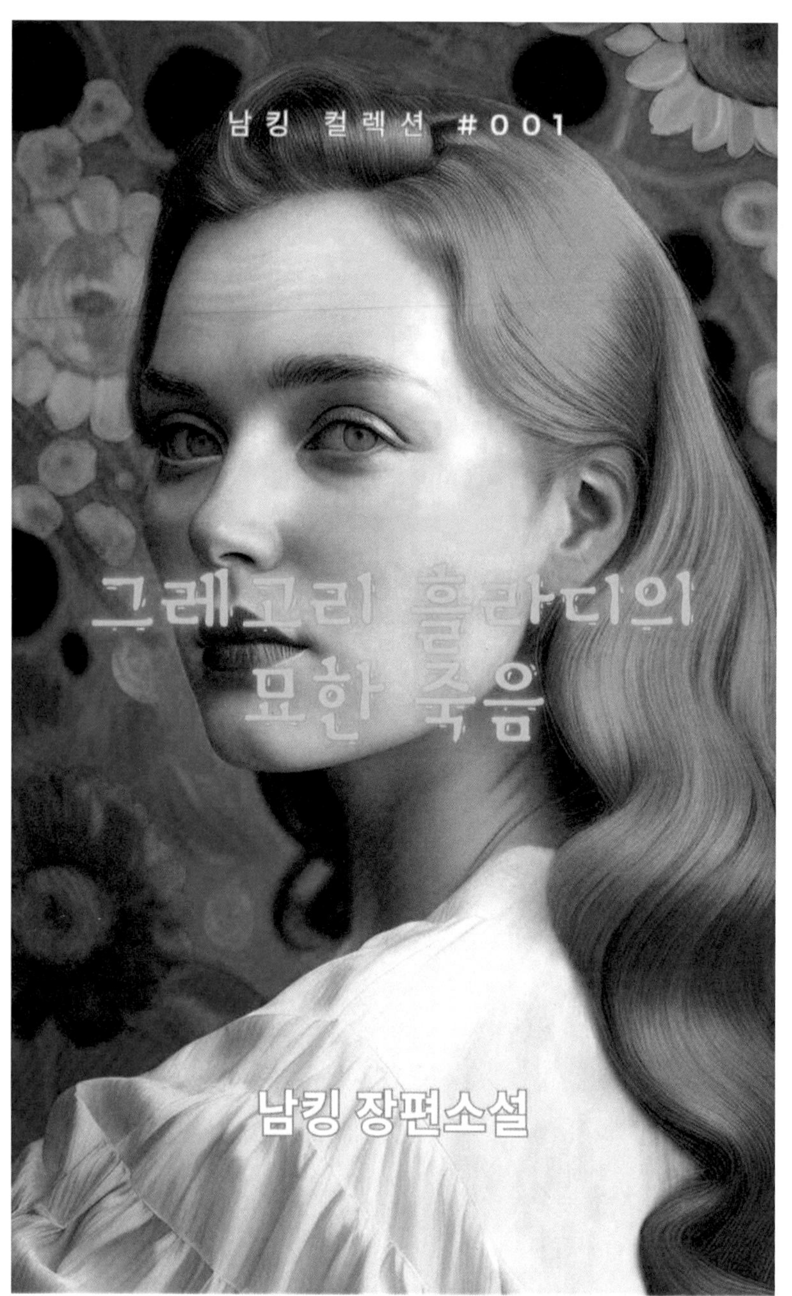
남킹 컬렉션 #001
그레고리 홀라디의
묘한 죽음
남킹 장편소설

그레고리 홀라디의 묘한 죽음 #3

장편소설

3부

니콜라이 홀라디는 꿈에서 돌아왔다. 누군가 그를 흔들었다.

두목. 움직일 시간입니다.

그를 깨운 이는 감방 동료 알렉산드로였다. 니콜라이는 아쉬운 듯 천천히 상체를 일으켜 세웠다. 꿈은 지극히 평범했다. 시시포스 시내의 한가로운 오후 풍경이었다. 그의 앞에, 완곡한 곡선의 산책로를 따라, 미모사 가로수가 줄지어 늘어섰다. 부드러운 바람에 촘촘하게 잎이 박힌 나뭇가지들은 이리저리 춤을 추었다. 황금빛 꽃들은 햇빛을 받아 빛나며 나른한 공간을 화사하게 만들었다. 그 속으로 니콜라이는 천천히 걸었다. 아내 안나가 어느새 다가와 그의 손을 잡았다. 그녀는 쉴 새 없이 자신의 불만을 떠벌렸다.

당신은 늘 앞만 보고 홀로 걷기만 하는군요. 이렇게 한 번씩 제 손을 잡으면 어디가 덧나는가요? 가끔 뒤도 한 번 둘러보세요. 저기 저 우리 아들 안드레이가 멋진 젊은이가 되어 뛰어오고 있잖아요. 우리 딸, 마리아는 어떻고요? 이제 어엿한 숙녀가 되었잖아요. 저기 저 보이나요? 깔깔거리며 웃고 있는 당신 딸 말이에요.

니콜라이는 어느새 호숫가에 이르렀다. 호수의 절반은 연꽃이 점령했다. 사람들이 주변을 한가로이 맴돌았다. 어떤 이는 책을 읽으며 그림 같은 풍경에 빠져들었고, 어떤 이는 애인과 함께 손을 맞잡고 서로에게 미소를 보냈다. 작은 아이들은 호숫가에서 놀며 순수한 미소를 보냈다. 그 오후는 마치 시적인 향연이 펼쳐지는 것처럼 아름답다고 니콜라이는 생각했다. 하지만 그는 실제로 이런 경험을 한 적이 거의 없었다.

니콜라이는 알렉산드로가 건넨 거친 붕대를 몸에 칭칭 감았다. 그리고 그 위에 죄수복을 걸쳤다. 그는 침대 밑에 숨겨 두었던 플라스틱 송곳과 손전등을 꺼내 주머니에 넣었다. 그 송곳은 칫솔 막대를 갈아 만든 거였다.

몇 시지?

오 분 전 4시입니다.

알렉산드로가 숨겨 둔 휴대폰을 조심스레 꺼내 들여다보며 대답했다. 니콜라이는 길게 한숨을 쉬고 문으로 다가갔다. 적막한 새벽의 숨 막히는 안개가 물체들을 희미하게 비추었다. 니콜라이는 그 어둠 속에 깊이 파고들어, 얼어붙은 심장의 박동 소리를 몸으로 느꼈다. 그는 눈을 번뜩이며 창살 밖 복도를 살폈다. 이곳에서 살아남기 위한 절박함이 그의 눈동자에 가득 담겼다.

젠장, 나는 그저 평범한 오후에 머무르고 싶었단 말이야. 더럽게 꼬여버린 내 인생.

잠시 후 발소리가 들렸다. 또박또박 선명하면서도 규칙적인 소리. 이윽고 그 소리는 니콜라이 방 앞에서 멈췄다. 그리고 딸깍거리는 자물쇠 소리. 끼익하는 소리와 함께 속삭임이 들려왔다.

나오시오.

니콜라이는 발소리를 죽여가며 교도관의 뒤를 따라갔다. 희미한 빛이 일정한 간격으로 그들을 흐릿하게 비췄다. 협소한 통로가 이어지고 무거운 철문들이 여러 번 열리고 닫히는 소리가 공간에 울려 퍼졌다. 니콜라이의 걸음은 점점 무거워져 갔지만, 그의 의지는 결연해졌다.

이윽고 그들은 독방이 길게 늘어선 통로에 도착했다. 그는 주머니에 있는 송곳을 다시 한번 확인했다. 그의 마음은 비틀림과 분노로 가득 찼다. 얼음 같은 눈빛은 그의 복수심을 그림자처럼 품고 있었다.

교도관이 열쇠로 철창을 따라 손을 뻗어 독방을 열었다. 문이 열리는 순간, 니콜라이는 어둠 속에 널브러진 검은 그림자를 보았다. 니콜라이는 손전등을 켜고 천천히 다가가 그의 얼굴을 확인했다. 올렉시아. 그의 심복이 확실했다.

그 순간, 철문이 조용히 닫혔다. 그리고 철창 밖에서 목소리가 들렸다.

시간 지키시오. 10분이요.

올렉시아가 어둠 속에 천천히 눈을 떴다. 그리고 니콜라이를 올려다 봤다. 그는 미동도 하지 않았다. 이미 그는 모든 것을 체념한 듯한 표정이었다. 어쩌면 그는 이곳으로 끌려 올 때부터 예견하였을 것이다. 결코 살아서 나갈 수 없다는 것을.

니콜라이는 그런 그를 보는 순간, 분노와 의문으로 가슴이 저렸다. 그가 신뢰하던 사람. 그가 믿었던 몇 안 되는 유일한 친구. 모든 것을 공유하던 관계. 결코 이런 침묵과 혼돈의 냉기 속에 마주칠 인물이 아니었다.

왜 그랬어?

니콜라이는 송곳을 꺼내 손에 꽉 쥐었다. 그리고 다시 물었다.

누가 그랬어? 누가 나를 이곳으로 보낸 거야?

보스입니다.

그럴 리가? 레오가 왜 나를?

시시포스.

시시포스?

네. 보스는 시시포스에 마약을….

그건 이미 끝난 이야기야! 너도 알잖아! 펜타닐이 무엇을 의미하는지! 좀비 도시를 만들고 싶은 거야? 응? 너도 똑똑히 두 눈으로 봤잖아! 이웃 도시들이 다 어떻게 변했는지. 스티그마, 아케론, 코클린, 프레기스, 루테 이 아름다운 흑해 도시들이 부랑아가 넘쳐 나고 약탈과 살인이 난무하는 지옥이 되었다는 것을….

하지만 니콜라이. 불쌍한 니콜라이. 당신도 느끼고 있잖아요. 이미 골든 타임은 지났다는 것을. 다른 마피아들이 벌써 시시포스에 대량으로 펜타닐을 팔아 재끼고 있어요. 중과부적(衆寡不敵)이에요. 우리만 고고한 척할 수는 없어요. 시간문제라고요. 당신이 고집을 피우는 한, 시시포스는 곧 적들의 손아귀에 들어갈 거예요.

이러지 마! 올렉시아. 시시포스는 작은 도시야. 내 형제들만 뭉쳐도 충분히 막을 수 있어. 그 쓰레기들을 모두 청소할 수 있다고!

이미 끝난 일이에요. 니콜라이. 5대 마피아 간에 협정이 맺어졌어요. 당신은 정말 아무것도 모르는군요. 누가 당신을 이곳으로 보냈는지 당신은 감도 잡지 못하는군요.

그래! 누구야? 누가 나를 이곳으로 보낸 거야?

올리거.

올리거? 내 동생 올리거? 이 새끼가 죽으려고 환장을 했나!
니콜라이는 더 이상 참지 못하고 올렉시아의 멱살을 움켜쥐고 송곳을 그의 목에 들이댔다. 한 줄기 피가 그의 껄떡이는 목을 타고 바닥으로 흘러 내렸다.
다시 한번 말해봐! 누가 그랬다고?
당신을 배신하지 않으면 당신 형제 모두가 타겟이 된다고요. 알겠어요? 제발 현실을 직시하세요. 니콜라이. 올리거는 당신을 살리고 동생들을 위험에 빠트리지 않기 위해 당신을 제거한 거라고요.
니콜라이는 그 순간 힘이 쭉 빠져, 쥐고 있던 송곳을 놓치고 말았다. 그를 괴롭혔던 모든 혼란이 삽시간에 분명하게 다가왔다. 그는 뒤로 물러나 벽을 등지고 털썩 주저앉았다. 빈 곳. 텅 빈 곳으로 고통이 채워졌다.
나는 그저 평범한 오후에 머물고 싶었어.
그때 철문이 조용히 열렸다. 교도관이 낮은 소리로 니콜라이를 불렀다.
시간 되었어요. 갑시다.
니콜라이는 억지로 몸을 일으켰다. 그는 모든 의지가 다 빠져나간 너덜너덜한 육신으로 어기적어기적 교도관을 따라갔다.
희미한 빛이 일정한 간격으로 다시 그들을 흐릿하게 비췄다. 더욱 협소한 통로가 이어지고 더 무거운 철문들이 여러 번 열리고 닫히는 소리가 공간에 울려 퍼졌다. 니콜라이의 걸음은 이제 한 발짝 내딛는 것조차 위태로워 보였지만 그의 결심은 더욱 굳어졌다. 그는 앞서가는 교도관을 불러 세웠다.

교도소장과 면담을 하고 싶소.

****

교도소장 미하일로가 니콜라이를 반갑게 맞았다.

그래, 요즘 생활은 어떻습니까? 지낼 만합니까?

신경 써 준 덕분에 잘 지내고 있습니다. 감사합니다.

미하일로에게 니콜라이는 최고의 고객이었다. 니콜라이가 수감 된 이후, 그의 차 트렁크에는 철마다 맛있는 시시포스 산 과일 상자가 실리곤 하였다. 물론 그 상자의 바닥은 현금으로 채워져 있었다.

얼굴이 좀 수척해 보입니다. 뭐 불편한 거라도 있으신가요? 말만 하세요. 성심성의껏 편의를 봐 드리겠습니다.

교도소장은 마치 물건 사러 온 고객을 대하는 장사치처럼 말을 했다.

불편한 거는 없습니다. 다만 한 가지 물어볼 게 있습니다.

네, 말씀하시죠.

예전에 장기 수감자를 대상으로 한 용병 모집을 들었습니다. 아직도 유효한가요?

용병에 지원하시려고요?

네.

그건 안될 말입니다. 저 미꾸라지 같은 정치인들이 야합해서 만든 졸속 행정입니다. 그래, 우리나라가 유럽에서 가장 못 사는 거는 인정합니다. 교도소가 턱없이 부족한 것도 네, 맞습니다. 하지만 그렇다고 재소자들은 우리 국민이 아닙니까? 장기수들이 여기서 밥을 먹으면 얼마를 먹는다고 그 돈 아끼려고 젊은이들을 사지로 몰아넣습니까? 지금까지 용병으로 끌려가서 살아 돌아온 사람이 아무도 없어요. 거긴 한 마디로 지옥입니다.

그래서 가겠다는 겁니다.

네?

교도소장은 어안이 벙벙한 얼굴로 니콜라이를 쳐다봤다.

어차피 저는 버려진 카드입니다. 이래도 죽고 저래도 죽을 운명. 그냥 전쟁터에서 죽겠습니다.

하지만….

교도소장은 안타까운 표정으로 무슨 말을 해야 할지 몰라 말을 흐렸다. 그의 MVP 고객이 단순 변심으로 떠나겠다고 하는 상황이 못내 못마땅하기만 했다.

****

삐 하는 경고음과 함께 니콜라이는 눈을 떴다. 붉은 점멸등이 요란하게 움직였다. 긴장을 다그치는 공기가 그를 에워쌌다. 거친 비행 소리가 수송기의 내부를 꽉 채웠다. 그의 호흡은 거칠어지고 얼굴에는 두려움이 새겨졌다. 니콜라이는 맞은 편 동료를 쳐다봤다. 그의 얼굴에도 긴장한 표정이 역력했다. 그와 떨어진 공간은 야전에서 흘릴 피의 풍경을 반추하듯 붉디붉었다.

비행기는 어둠 속으로 계속해서 나아갔다. 곧 낙하 신호가 떨어졌다. 낙하 대원들은 안전띠를 풀고 조심스레 문 쪽으로 걸어가 일렬로 줄을 섰다. 문 주변에 배치된 장비들이 작동했다. 그 소리는 니콜라이의 귀에 미묘한 고음과 진동을 전달했다. 니콜라이는 손에 있는 장갑을 끼고, 문의 조작 장치에 손을 올려 문을 여는 순간을 기다렸다.

간헐적인 소리와 함께 비행기 문이 천천히 열렸다.
세찬 바람이 비행기 내부로 들이닥치며 그의 얼굴을 강타했다. 그는 버티기 위해 지지대를 있는 힘껏 꽉 잡았다. 그리고 한 발짝 한 발짝 앞으로 나아갔다. 마침내 그는 문으로 내려다보이는 검은 세상과 마주했다. 그 속으로 그는 주저 없이 뛰어내렸다.
어두운 공기가 그를 격하게 포옹하였다. 그는 자유낙하의 경이로움 속에 숨을 규칙적으로 쉬려고 노력했다. 그리고 낙하산을 펼쳤다. 별빛이 그를 따라다녔다. 그는 아름답다고 생각했다. 그의 심장은 들뜸으로 뛰어올랐다. 하늘을 나는 동안, 니콜라이는 뒤죽박죽 뒤섞인 과거의 기억을 떠올렸다.

****

어머니가 떠나자 아버지 자이밀의 폭력은 니콜라이에게 향했다. 그는 묵묵히 참았다. 왜냐하면 그가 반항하거나 거부한다면 아버지의 구타는 동생에게로 틀림없이 향할 것을 알았기 때문이었다. 집안에 빈 술병이 쌓일수록 자이밀의 폭력은 커져만 갔다. 아버지의 요구는 단 하나, 술이었다. 니콜라이와 올리거는 거리로 내몰렸다. 그들은 매일 아버지의 술값을 벌어야만 했다. 니콜라이가 학업을 포기하고 동네 외곽에 있는 양조장에 말단 사원이 된 것은 그런 연유였다.

그 양조장은 시시포스에서 생산하는 옥수수와 보리를 발효하여 전통적인 방식으로 위스키를 제조하였다. 니콜라이는 나이가 어렸으므로, 제조 과정의 특정 부분을 맡지 않고 그때그때 필요한 곳에 투입되어 작업을 거들었다. 덕분에 그는 발효, 증류, 숙성, 운반까지, 위스키

제조 과정의 모든 부분을 두루두루 배울 수 있었다.
양조장의 일과는 대부분 오후 2, 3시경쯤 되면 끝이 났다. 왜냐하면 그다지 술 주문이 많지 않았다. 별로 나쁘지 않은 품질의 위스키였지만 상표 명은 거의 알려지지 않았다. 심지어 시시포스 주민조차 모르는 사람이 태반이었다. 그러므로 이 위스키는 시의 일부 음식점과 술집에만 싼값으로 제공되었다. 양조장 창고에는 재고 술이 항상 넘쳤다.
관리도 엉망이었다. 직원들은 일이 끝나면 다들 배낭에 위스키 한두 병쯤 넣어서 퇴근하였다. 엄연한 불법이지만 일종의 관행이 되어 버렸다. 술을 좋아하는 이들은 집에서 마시겠지만 그렇지 않은 자들은 동네 가게에서 식료품으로 바꾸거나 팔기도 하였다. 니콜라이도 열심히 술을 챙겼다. 당연하게도 그가 가져간 술은 모두 아버지의 목구멍으로 흘러 들어갔다.
양조장 사장은 그미로바로 알려진, 마피아 보스의 막내아들 이고르이다. 이 조직은 주로 러시아의 노보로시스크와 노벨리스크를 중심으로 활동했으며, 마약 밀매, 불법 도박, 협박, 강도 등 다양한 범죄 활동으로 악명을 떨쳤다. 이후 그들은 호텔, 카지노, 주류 산업 등에 진출하면서 비교적 합법적인 사업으로 크게 성공하였다. 하지만 이고르는 형들과 달리 사업에 그다지 재능이 없었다. 대부분 사업을 말아 먹고 이제 이 양조장 하나만 남은 상태였다. 하지만 이것도 부실 경영으로 곧 무너지기 직전이었다.
게다가 엎친 데 덮친 격으로 직원들이 빼돌린 술이 세무서 감사에 적발되었다. 즉, 주류세 횡령 혐의가 씌워진 것이다. 그런데 이 사건을 취재하던 지역 신문 기자는 더 놀라운 사실을 발견했다. 직원들이 퇴근 때 한두 병 정도 훔친 게 아니라, 일부 선임 직원들이 조직적으로 팔레트 단위로 수만 병을 훔친 증거를 발견한 것이다. 대대적인 수사가 진행되고 대부분의 양조장 직원이 사건에 연루되어 끌려갔다. 이제 회사에 남은 이는 일부 신입사원뿐이었다. 그중에 모든 양조 기술을 알고 있는 이는 니콜라이가 유일했다.

하루아침에 그는 양조 회사 매니저가 되었다. 그에게 행운이 찾아온 것이다. 하지만 그는 영리하고 대범하였다. 그는 야망이 있고 그 행운을 이용할 줄 알았다. 그는 곧바로 사장을 만났다. 그리고 그의 매니저 수락 조건을 요청했다.

먼저, 제 아버지를 알코올 중독 재활센터로 보내 주십시오. 그리고 그곳에서 평생 머물게 해 주십시오.

그렇게 하지.

술 판매에 관한 모든 마케팅 권한을 제게 주십시오.

물론이지.

그리고 회사 수익의 10%를 제게 주십시오.

그것도 그렇게 하지.

제 동생 올리거를 이곳에서 함께 일하게 해 주십시오.

좋아.

이상입니다. 사장님. 감사합니다.

나의 조건도 들어 주겠나?

네. 말씀하십시오.

양조장의 술이 단 한 병도 빠져나가지 못하게 해주게.

약속드립니다. 철저하게 재고 관리하겠습니다.

그날 이후, 니콜라이는 이고르에게 매일 재고 현황, 생산 현황, 판매 현황을 보고 하였다.

니콜라이는 저장고부터 조사하기 시작했다. 그동안 안 팔린 술이 오크 통에서 수십 년째 방치되고 있었다. 그는 제조 연도 별로 재고 술을 정리했다. 그는 술의 가격을 결정하는 것은 숙성 기간이라는 것을 알고 있었다. 그동안 엉망으로 재고 관리를 한 덕분에 30년 이상의 숙성 제품이 제법 남아 있었다. 그는 전문 디자이너에게 청탁하여 술병 모양과 라벨 디자인을 고급스럽게 바꾸었다. 동네 술집과 식당에 싼값으로 납품하던 것도 모두 끊어 버렸다. 그리고 온라인 판매를 시작했다. 희귀 술 컬렉터가 타겟이었다. 커뮤니티를 조성했다.

극소수의 일부 억만장자들에게만 비밀리에 유통하던 최고급 위스키 30년, 40년, 50년산 제품.

컬렉터들이 관심을 보이기 시작했다. 그는 정품인정서를 만들고, 이고르의 형들이 운영하는 고급 호텔과 카지노에 판매했다는 서류를 조작했다. 그리고 컬렉터들이 직접 방문해서 실물을 확인하고 구매 의사를 밝히면 특별 할인 한정 판매가 가능하다는 것을 알렸다. 양조장은 최대한 낡은 상태로 그냥 두었다. 누가 봐도 옛날 전통 방식으로 술을 빚는다는 것을 각인 시키도록 만들었다. 그리고 아버지 술꾼 친구 중 나이가 많고 입담이 좋은 사람을 채용했다. 그들은 주류 감별사로 둔갑하여, 찾아온 컬렉터들에게 천상의 맛과 향을 지닌 위스키에 대한 끝없는 찬양을 늘어놓았다.

그의 마케팅 전략은 성공적이었다. 컬렉터들이 성지 순례하듯 양조장을 찾았다. 병당 10달러도 하지 않던 술이 경매에서 최고 10만 달러까지 뛰었다. 위스키 전문 매거진인 <몰트위스키 이어북>에도 당당히 이름을 올렸다. 지역 방송국과 신문사가 그를 가만두지 않았다. 연일 인터뷰가 쇄도했다. 그는 하루아침에 시시포스 시에서 가장 유명한 전문 경영인이 되었다. 그의 나이 불과 25살 때였다.

그의 유명세는 곧바로 마피아 보스 그미로바의 시선을 끌었다. 거의 왕따로 취급받던 그의 막내아들을 구원한 청년. 마침 이고르의 장녀 안나는 이제 갓 스물이 된 아름다운 처녀였다. 그들은 니콜라이를 그들만의 궁전으로 끌어들였다. 한창 혈기 왕성한 니콜라이는 안나를 보자마자 단숨에 사랑에 빠졌다. 일사천리로 결혼식이 진행되었다. 성대한 결혼식이었다. 정·재계 유력 인사들이 모두 참석했다. 그때가 니콜라이 생에 최고의 한 해였다.

하지만 니콜라이의 욕망은 끝이 없었다. 그는 더 높은 곳을 바라보기 시작했다. 그는 그때 처음으로 레오를 만났다. 그미로바의 장남. 실질적인 마피아 보스였다. 잔인하기로 둘째가라고 하면 서러울 정도로 악명을 떨쳤던 그는, 일련의 합법적인 사업 성공에 고무되어, 자신의 이미지 세탁에 열을 올리고 있었다. 니콜라이는 그 점을 파고들었다. 그는 흑해 일대의 주류 시장을 합법적으로 독점하기 위한 청사진을 레오에게 제시했다.

니콜라이에게 엄청난 돈이 들어오기 시작했다. 그는 이 자금력을 바탕으로 주변의 양조장을 몽땅 사들였다. 판매를 거부하거나 터무니없이 비싼 값을 부르는 양조장은 이고르가 직접 나섰다. 마피아의 사주를 받은 세무서 직원이 느닷없이 회사에 들이닥쳐 회계 장부를 압수하거나 위생계 조사 요원이 공장에 부지불식간에 나타나 구석구석을 뒤지고 다녔다. 그런데도 버티는 양조장은 마피아의 공포로 그들을 쫓아냈다.

이즈음 작은 사건 하나가 수면 위로 올라왔다. 예전에 술을 빼돌려 감옥에 갔던 전 직원들이 하나둘씩 풀려나기 시작한 것이다. 그들은 자기 밑에서 일하던 새파랗게 젊은 니콜라이가 어느새 주류 업계의 아이콘이 된 것을 목격하고는 시기와 질투를 느끼지 않을 수 없었다. 그리고 그들이 만든 싸구려 술이 돈을 주고도 살 수 없는 최고의 위스키가 되었다는 사실에 경악했다. 눈치 빠른 이는 이 추악한 진실이 곧 돈이 될 수 있다는 사실에 주목했다. 그들은 신문 기자를 끌어들여 니콜라이를 협박하기 시작했다. 그들의 입막음용 돈을 요구한 것이다.

하지만 그들은 중요한 것 한 가지를 간과하였다. 니콜라이가 마피아 가문의 사위라는 사실을. 게다가 니콜라이의 성장 환경이 어떠하였는지를 그들은 전혀 몰랐다. 니콜라이가 어른이 될 때까지 보고 배운 것은 폭력뿐이었다. 그는 폭력이 얼마나 신속하고 정확하게 자신이 목적하는 바를 이루게 할 수 있다는 사실을 누구보다 잘 알고 있었다. 게다가 그는 한두 푼의 돈으로 밀고자들의 입을 영원히 닫게 할 수 없다는 것도 인지했다.

동네에서 그들이 하나씩 하나씩 사라졌다. 누구도 그들이 어디로 갔는지 몰랐다. 경찰의 탐문수사는 형식적이었다. 그저 동네 몇 바퀴 둘러보고는 수사가 마무리되었다. 실종자 유족들은 니콜라이를 의심했지만 아무도 입을 열거나 신고하지 않았다. 그들에게 니콜라이는 이제 촉망받는 기업인에서 공포를 선사하는 조폭 두목으로 바뀌었다. 그리고 그 화려한 공포를 결정 짓는 사건은 바로 그를 협박하던 신문 기자가 양조장 건너 옥수수밭에서 변사체로 발견된 거였다. 누군가에게 심하게 난도질당한 그의 몸은 밭 곳곳에서 뒹굴었다.

남킹 컬렉션 #001
훌라디의
묘한 죽음
남킹 장편소설

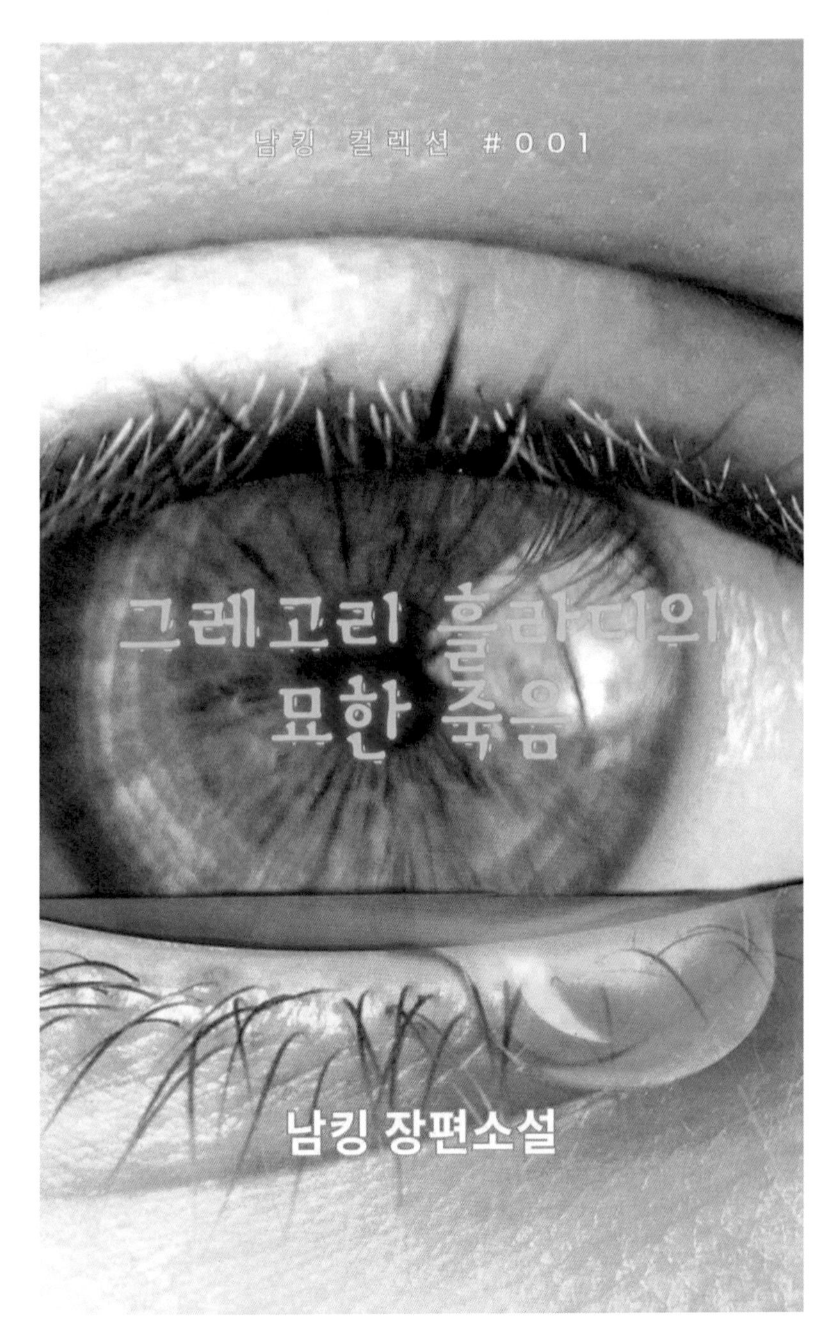
남킹 컬렉션 #001
그레고리 홀라디의
묘한 죽음
남킹 장편소설

심해 #1

남킹 SF 장편소설

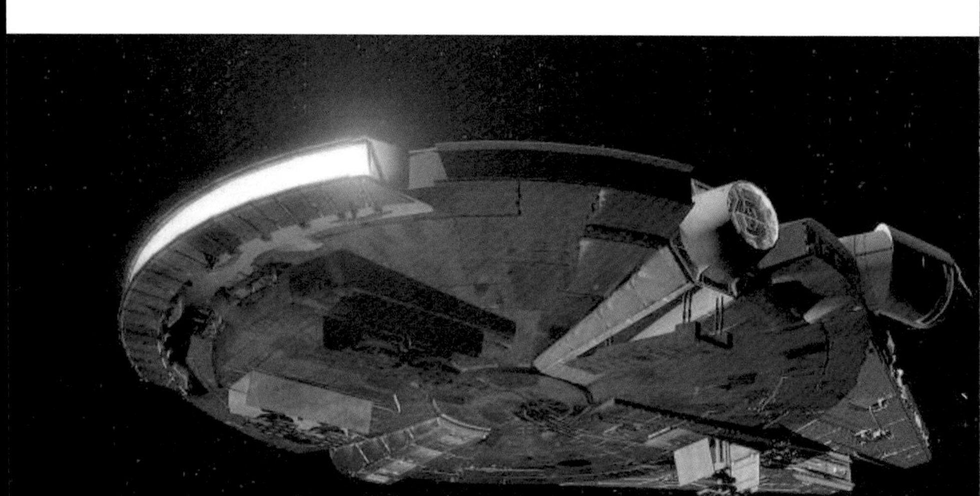

1일

삐 하는 소리에 강용석 선장은 눈을 떴다. 하지만 여전히 눈앞은 안개 속이다. 의식이 먼저 돌아왔다. 만약 그의 기억이 맞는다면 올해는 2261년 일 것이다. 그는 2254년, 7년 전에 이 캡슐에서 잠이 들었다.

무사히 도착한 건가?

대원들은 모두 안전하겠지?

마르4469b. 적색왜성 마르4401의 유일한 행성. 과연 내 눈 앞에 펼쳐진 모습은 어떨까?

강선장은 잠에서 깨자마자 비 오듯 쏟아지는 많은 의문 속에 갇혀 답답함을 느꼈다. 그는 우주선 인공지능 시스템인 헤르메스를 호출해야겠다고 생각했다. 하지만 입이 말을 듣지 않았다.

젠장, 마치 걸음마를 시작하는 아기처럼 되었구먼.

그는 입을 천천히 벌렸다. 그리고 여러 가지 모양으로 움직여 보았다. 뻑뻑하던 입이 점점 부드러워졌다. 침도 조금씩 새어 나왔다. 그는 이제 합창 단원이 된 것처럼 음계를 읊어 나갔다.

도 레 미 파 솔 라 시 도

굳어진 입과 혀가 풀리며 정확한 발성이 새어 나왔다. 그는 이제 자신감을 가지고 헤르메스를 호출했다.

헤르메스! 헤르메스! 들리는가?

웡 하는 소리와 함께 캡슐의 문이 열렸다. 뒤이어 앙증맞고 귀여운 도우미 로봇인 골램식스가 도착했다.

강선장 님, 잘 주무셨습니까? 저는 골램식스입니다.

자네의 높은 전자음을 들으니 반갑구먼. 근데 나의 시력은 언제쯤 돌아오려나?

제가 도와드리겠습니다. 선장님. 눈을 크게 뜨세요.

강선장이 눈을 크게 뜨자 골램식스는 자신의 몸체에 있던 망막 안정화 용액을 분무기를 이용해 그의 눈에 대고 몇 번 뿌렸다. 그러자 카메라 렌즈 초점이 맞추어지듯 그의 세상이 점점 분명하고 선명하게 드러났다. 골렘파이브도 어느새 그의 곁에 서서 그를 지켜보고 있었다.

골램파이브, 너의 안주인은 어디 간 거야?

아, 네. 골램원은 지금 안소진 대원을 보살피고 있습니다.

그녀에게 무슨 일이 일어났는가?

안소진 대원은 지금 장기 냉동 수면 증후군을 겪고 있습니다.

심한가?

현재는 심각하지만 24시간 내로 의식을 찾을 것으로 확신합니다. 단지 몸속 중요 장기의 세포 활용도가 최대 65%로 나타났습니다. 그러므로 일주일간의 집중 치료가 요구됩니다.

다른 대원들은 어떤가?

모두 정상입니다. 1시간 간격으로 모두 깨어날 것입니다.

알았네.

강선장은 몸을 일으켰다. 하지만 그의 뜻대로 몸이 따라주지 않았다.

그는 비틀거리다 그 자리에 주저앉았다. 골렘식스가 재빨리 그를 부축했다.

조심하세요. 지금 무리하시면 안 됩니다. 근육 세포가 정상으로 돌아오려면 적어도 2시간은 기다려야 합니다.

알고 있네. 하지만 마음이 조급하네. 그러니 카페락토스 한 방 놔주게.

그건 안 될 말입니다. 선장님. 심장에 무리가 갈 수도 있고 0.017% 확률로 알레르기 반응에 의한 기도 부종으로 사망할 수도 있습니다.

우리 골렘 식구들은 늘 걱정이 많아. 그게 문제지. 걱정하지 말게. 내 기도는 누구보다 크고 넓으니.

결국 골렘파이브의 주사를 맞고 강선장은 서둘러 제어 센터로 갔다. 그리고 헤르메스를 호출하여 커맨드 모듈 인증 절차를 수행했다.

헤르메스. 지난 7년간의 비행 이상 유무를 보고하기를 바란다.

네. 강선장님. 모듈별 상황입니다. 생활 모듈 이상 없음. 제어 모듈 이상 없음. 화물칸(Payload bay) 이상 없음. 통신 모듈 이상 없음. 엔진 구동 모듈 이상 없음. 탈출 모듈 이상 없음. 전력 공급 모듈 이상 없음. 냉난방 시스템 이상 없음. 충돌 회피 시스템, 우주 환경 감지 센서, 우주 쓰레기 모니터링 시스템 이상 없음. 이 외에 화장실, 음식 저장 공간, 운전자 좌석, 탐사 및 실험 장비 모두 이상 없습니다.

좋아, 운전 중에 발생한 특이 사항이 있는가?

총 18가지의 대수롭지 않은 고장 중, 14가지의 부품 불량으로 인한 손상은 이미 복구하였습니다. 4가지는 긴급 정도 약 상태로 남아있습니다.

무엇인가?

첫 번째, 연 1회 실시하는 우주 먼지 제거 작업 도중 필터 불량으로 제17 격납고 폐쇄. 수동 작업 전환 대기 중입니다.

두 번째, 제13 엔진 고장으로 가동 중단입니다. 수리는 지구 귀환 후 가능합니다.

세 번째, 실험 목적의 방사선균류 중 일부가 사멸하였습니다. 원인 분석은 송도영 박사 팀에게 이양하였습니다.

네 번째, 홍도(asteroid belt) 지역 운행 중 지름 20cm의 소행성 충돌로 인한 항로 재조정이 이루어졌습니다. 이로 인한 도착 시간이 7일 20시 4분 20초 늦추어졌습니다. 이상입니다.

소행성 충돌로 인한 우주선 외부 구조 손상은 없었는가?

약간의 찌그러짐은 발생하였으나 복구할 정도는 아닙니다.

잘되었군.

네, 그럼 도착 확정 절차를 수행할까요? 선장님.

그건 우리 대원이 모두 깨어나면 함께 실시하겠다. 우선 우주선 전체 자체 진단을 다시 한번 수행하고 대원들이 정상적으로 활동할 수 있도록 생명 지원 시스템을 꼼꼼하게 체크하기 바란다.

네, 선장님. 분부대로 시행하겠습니다.

그리고 안소진 대원 영상을 보여주도록.

네, 중앙 모니터로 연결하겠습니다.

대형 모니터에 병실의 모습이 비쳤다. 그곳은 어둠에 가까운 조명 아래 은은한 분위기가 흘렀다. 산소마스크를 쓴 그녀는 미동도 없어 보였다. 다만 그녀의 호흡소리가 디지털 시계 음과 함께 방안을 채우고 있었다. 카메라는 천천히 움직이며 병실의 모습을 화면에 담았다.

작은 유리창 너머로 병실 밖은 청명한 별들이 반짝였다. 별빛이 창문을 따라 스며들어 안소진 대원의 얼굴을 은은하게 비치고, 어둠 속에 감춰진 그녀의 피부는 간헐적으로 빛났다. 침대 옆에는 인조 꽃과 향기로운 양초가 놓여 있다. 그리고 골렘원이 그녀의 옆에서 간호하고 있다.

강선장을 그녀를 바라보며 안타까운 마음이 들었다. 사실 안소진 대원이 이번 우주여행에 참가하는 것에 대한 논란이 굉장히 뜨거웠다. 대부분의 본사 관계자들은 반대 의사를 분명히 밝히었다. 왜냐하면 그녀는 자폐 스펙트럼 장애를 가지고 있었다. 비록 그 정도가 심한 것은 아니었지만 장장 8년간의 우주여행에 대하여 담당 정신과 의사도 어떤 이상 현상이 발생할지 장담할 수 없다고 하였다. 하지만 강선장이 적극적으로 밀어붙였다. 무엇보다 그녀의 우주 탐험에 대한 엄청난 집념과 놀라운 지식 때문이었다.

그녀는 우주 과학과 관련 공학, 기술, 항법, 통신, 네트워크에 이르는 방대한 지식을 꿰고 있었다. 거의 AI와 맞먹는 수준이었다. 게다가 역사와 언어에도 비범한 지식을 보였다. 그녀는 특히, 인류 고대 문명과 언어에 대한 논문 대부분을 통째로 외우고 있었다. 그런데도 그녀는 그 흔한 초등학교 졸업장조차 없었다.

그는 그녀를 처음 본 순간을 또렷하게 기억하고 있다. 5만분의 일을 뚫고 최종 10인에 선정된 그녀는 다른 지원자와 달리 면접원들에게 눈길조차 주지 않고 계속해서 지붕만 쳐다보고 있었다.

안소진 씨. 제 얼굴을 볼 수 있나요?

강선장이 그녀를 부드러운 목소리로 말했다.

이미 봤습니다. 강용석 선장님.

어떤 모습인가요?

쌍꺼풀이 없는 알음형 눈으로 안쪽 턱뼈에 의해 눈이 약간 활공입니다. 코는 높지 않으며 평형하고 피부색은 밝은 갈색이고 둥근 얼굴형과 짧은 턱을 지녔습니다. 눈썹은 길고 촘촘하게 배치되었으며 검은색 머리카락과 직구 머리 형태입니다. 입술은 두꺼운 편입니다. 이러한 특징을 종합해 볼 때 당신은 몽골로이드 북방계 인종에 속하며 주로 한국과 주변 지역에서 흔하게 발견됩니다.

그녀의 말이 끝나자마자 일부 면접원들이 웃음을 터트렸다. 하지만 강선장에게는 신선한 충격으로 다가왔다. 찰나와도 같이 스쳐 간 얼굴을 마치 사진을 들여다보듯이 기억한다는 것. 그것은 미지의 외계 행성을 개척해야 하는 그에게는 어쩌면 그녀가 천군만마와 같은 존재가 될 수도 있었다.

안소진 씨는 왜 위험하기 짝이 없는 행성 탐험에 지원하였습니까?

그것은 고대 문명을 발굴하는 것과 같습니다. 고대 지식의 풍경에 몸을 맡기면 마음속으로는 시간의 깊은 흐름을 느낄 수 있습니다. 그리고 고대 문명의 모습은 제 눈을 밝힙니다. 거대한 피라미드와 신비로운 돌 문, 그리고 불타오르는 태양의 촛불 아래에서 무한한 지혜가 번영하고 있습니다. 돌과 진흙에 새겨진 고대 언어는 마치 무거운 비밀을 품고 있듯 노래합니다. 그 희미한 흔적들이 현대 언어와 다르게 아련한 울림을 퍼뜨립니다. 수천 년을 뛰어넘는 언어들은 제 입술을 타고 쏟아져 나와, 온기로 가득 찬 감탄의 숨소리를 채웁니다. 그러면 먼 과거의 글자들이 제 머릿속에 날개를 달고 높이 날아갑니다. 고대 지식의 향기가 채워진 나의 손가락으로 문명의 장식을 감싸 안습니다. 불변의 신비와 무궁한 지혜에 감탄하며, 저는 마음의 문을 열어줍니다. 이것은 미지의 행성 탐험과 다를 게 하등 없습니다.

면접원들은 다시 킥킥거렸다. 하지만 강선장은 이미 그녀에게 푹 빠지고 말았다.

골렘원 듣고 있나?

골렘원이 고개를 들어 모니터를 향해 끄덕였다.

안소진 대원 회복에 최선을 다해주기를 바란다. 꼭 부탁한다.

골렘원은 다시 끄덕였다. 그리고 엄지손가락을 척 내보였다.

강선장은 고개를 헤르메스로 돌렸다. 그리고 말했다.

헤르메스, 전방 워크스테이션 윈도우 보호막을 열기 바란다. 마르 4469b의 진짜 모습을 이제 봐야겠네.

네. 선장님. 현재 외부 방사능 수치가 안전인 관계로 개방 안전모드로 열겠습니다. 그럼 우리가 탐험하게 될 멋진 행성을 눈으로 직접 확인하십시오.

윈도 보호막이 서서히 올라갔다. 하늘은 항성들의 환상적인 무리로 물들어 있다. 그리고 창의 거의 절반을 꽉 채운 반달 모양의 행성이 나타났다. 마치 지구와 달을 섞어 놓은 듯한 모습이었다. 그가 손을 뻗으면 닿을 듯이 웅장하고 화려하였다. 행성의 표면에는 클라우드 패턴과 대륙들이 명확하게 드러났다. 녹색 대양과 누런 대륙들이 하나로 어우러져 매혹적인 구를 구성하고 있었다. 대륙의 검은 선들이 혈관처럼 사방으로 뻗어 있다. 그리고 다양한 색상과 지형으로 이루어졌다. 초록 대양은 넓은 평원처럼 펼쳐져 있으며, 행성의 표면을 크게 감싸고 있었다. 땅과 바다의 경계선은 생생하였다. 대륙의 경계를 가르는 호수와 강들도 보였다.

햇빛을 받은 쪽은 백색으로 빛났다. 구름은 소용돌이처럼 휘어져 짙었다 옅어지기를 반복하였다. 행성의 자체적인 대기는 윤기 나는 자두색과 그림자가 섞인 놀라운 현상을 보여주고 있었다. 지구와는 다른 화학 조성이지만, 그만의 독특한 아름다움으로 공간을 물들이고 있었다. 우주의 무게감과 그 안에 흩어진 무수한 별들의 화려함이 어우러지며, 행성은 우리가 알던 모든 것을 초월하는 신비의 세계로 비쳤다.

눈에 띄는 것 중 하나는 대지의 바깥계였다. 행성의 곡선과 대기의 가느다란 경계를 명확하게 확인할 수 있었다. 행성의 대기는 적절한 높이에 위치하여, 보라색과 오렌지색의 레이어를 지닌 아름다운 광경으로 눈을 사로잡았다. 더욱이 행성의 녹색 보호막이 우주선의 창문에 비치면서 도드라져 보였다. 영롱하고 아름다운 모습이었다. 이미 한번 다녀간 적도 있고 또 사진과 동영상을 통해 수 없이 본 광경임에도 이렇게 직접 자신의 두 눈으로 다시 확인하자 그는 감동이 복받쳐 올랐다.

한때 지구도 저러했었는데….

선장은 크게 한숨을 쉬었다. 어두운 공간이 녹색과 흰색, 갈색으로 물들며, 햇빛에 비친 빛나는 표면이 눈부시게 반짝였다.

지금 김재준 박사가 동면에서 깨어나고 있습니다.

골렘투가 선장에게 다가오며 보고했다.

상태는 어떤가?

골렘쓰리가 예의주시하고 있습니다. 현재까지는 정상입니다. 단지 신체 나이를 고려했을 때 적어도 3시간 이상의 휴식이 요구됩니다.

알겠네. 나는 일단 작전실부터 시작해서 우주선 내부를 모두 훑어볼 생각이네. 박사가 거동이 가능할 때 알려주기를 바란다.

네. 그러겠습니다.

선장은 천천히 작전실로 걸음을 옮겼다.

****

강선장이 깨어난 후 7시간 뒤에 안소진을 제외한 우주선 탑승객 모두가 작전실에 모였다. 선장은 대원들 모두에게 일일이 악수를 하고 원탁에 마지막으로 앉았다. 그리고 주위를 한번 둘러보고는 말을 꺼냈다.

우선 무엇보다 여기까지 우리 대원들이 안전하게 도착한 것에 깊은 감사를 드립니다. 안소진 대원은 수일 내로 깨어날 것으로 확신합니다. 그러니 너무 걱정 안 하셔도 됩니다.

제가 특별히 신경 써서 안소진 대원을 지켜보도록 하겠습니다. 선장님.
김재준 박사가 흰 수염을 한 손으로 쓰다듬으며 말했다.
네, 아무쪼록 잘 부탁드리겠습니다. 박사님. 의사 경험이 풍부하시니, 저로서는 마음이 한결 놓입니다. 그럼 이제 다 모였으니 도착 확정 절차를 수행하도록 하겠습니다. 헤르메스! 인증 스캔 영상 촬영 준비와 본사와 통신 연결하기를 바란다.
네. 선장님. 준비되었습니다.
그럼 저의 오른쪽부터 성함과 직책, 담당 업무를 말씀하시고 두 손바닥을 편 채 카메라로 포즈를 잡으시기를 바랍니다.
송도영 박사입니다. 대상 행성 생태계 구축 담당입니다. 이번 미션은 생물들의 환경 적응도 파악이 주요 업무입니다. 칸 팀장과 함께 물의 순환 관리도 포함합니다.
살만 칸 팀장입니다. 행성 탐험 장비 관리 업무입니다.
오동추 대원입니다. 행성 탐험 보안 및 군사 장비 업무입니다.
빅토르 린 대원입니다. 우주선과 로봇 프로그래밍 관리 업무입니다.

김재준 박사입니다. 대원들의 건강 관리와 행성의 기후 제어 업무입니다. 특히 이번 미션은 송도영 박사와 함께 산소 생산 박테리아 관리도 포함합니다.
강용석 선장입니다. 이번 행성 테라포밍 프로젝트 전부를 책임지고 있습니다. 특히 최근에 발견한 검은 아리아 계곡 지하수의 수질을 채집하여 사용 가능 여부를 파악할 예정입니다.
선장님. 촬영을 마쳤습니다.

수고했습니다. 대원 여러분. 오늘은 도착 첫날입니다. 그리고 장기간의 동면으로 인한 후유증이 있으리라 봅니다. 그러니 충분한 음식 섭취와 휴식을 취하시기를 바랍니다. 작업은 내일 오전 9시부터 하도록 하겠습니다. 그럼 이만 회의를 마칩니다.

대원들이 모두 물러나자 선장은 헤르메스를 호출했다.

내일 지상으로 내려갈 왕복선의 상태를 철저하게 점검하기를 바란다. 특히 영상 장비, 각종 분광계와 센서, 샘플 수집 장비, 드릴 장비, 통신 장비, 에너지 공급 장치를 자세히 검사해라.

네, 그러겠습니다. 선장님.

그리고 지금 무인 탐험 드론 1기를 검은 아리아 지역으로 보내라. 그곳의 지형지물을 자세히 스캔하고 대기 상태와 풍향, 풍속을 기록하기를 바란다. 아울러 지하수 도착까지의 깊이를 측정하여 보고해라.

네, 그러겠습니다. 선장님.

아, 그리고 한가지. 검은 아리아 지역은 햇빛이 비치지 않는 그림자 지역이므로 아직 탐사하지 않은 지역이다. 그러므로 혹시 모르니 드론에 자위 무기를 장착하기를 바란다. 그리고 모선에서 출발부터 도착 때까지의 모든 것을 영상으로 기록해라.

네. 선장님.

그럼, 나는 이제 휴식을 취하겠네.

심해
DEEP
SEA
남킹 SF 장편소설
남킹 컬렉션 #004

남킹 컬렉션 #012

남킹의 문장 1

언어의 마법사 남킹의 문장들

심해 #2

남킹 SF 장편소설

2일

선장은 향긋한 커피 향에 눈을 떴다. 하지만 여전히 몸은 무거웠다.

잘 주무셨습니까? 선장님.
골렘파이브가 그의 곁에서 큰 눈을 껌뻑이며 은색으로 반짝이는 모카포트 손잡이를 들어 큰 컵에 커피를 다 붓고 찬물을 섞었다. 그리고 쟁반에 담아 그에게 커피잔을 내밀었다.
온도가 적당한지 봐주시겠습니까?
고맙네.
강선장은 잔을 들어 천천히 입으로 가져갔다. 씁쓰레한 커피가 입안에 퍼지다 목구멍으로 넘어갔다. 시큼한 맛과 구수한 맛이 어우러져 그의 두툼한 입가에 미소를 전달했다. 누군가는 커피 중독이라고 했지만, 그는 홀림이라고 정의했다. 무언가에 사로잡힌 듯한 그 느낌이 언제나 좋았다. 고통과 폭력으로 점철되었던 그의 청소년 시절을 구원한 것 또한 홀림이었다.
소년원 옥상에 누군가 설치한 천체망원경. 매일 밤 그는 잠든 동료들 사이를 조심스레 헤집고 옥상으로 올라가 하늘을 들여다봤다. 어둠이 깊어질수록 별들은 더욱 빛나고, 우주의 신비는 더욱 감미로워졌다. 도시의 불빛이 혼잡한 거리를 가득 채우고 있지만, 그곳은 마치 다른 세계로의 문이 열려있는 것처럼 느껴졌다. 그는 점점 마음이 빼앗겼다. 바다에서 쉼 없이 불어오는 바람은 자신과 대화를 나누는 듯 부드럽게 그의 뺨을 스치고, 별들은 고요한 속삭임으로 그의 귀를 매료시켰다.
저 광활한 우주 속엔 무한한 이야기가 감추어져 있을 것만 같았다. 은하수가 흐르는 듯한 희미한 빛줄기는 마치 시간의 강을 헤엄치는 듯했다. 그 속에는 미래의 호기심이 녹아있었다. 얼마나 많은 시간이 흘렀는지 모를 만큼, 그는 하늘과 하나가 되어 시간의 흐름을 잊어버렸다. 그는 비로소 삶의 혼탁함에서 벗어날 수 있는 몰입을 경험했다. 그에게는 작은 우주여행이었다.
30분 뒤 아침 회의가 있을 예정입니다. 선장님.
골램파이브가 샌드위치를 잘라 그에게 내놓으며 말했다.
안소진 대원은 어떤가? 아직도 의식이 없는가?
네, 아직 변동사항은 없습니다. 하지만 뇌파 기기와 뇌 자기공명영상에 따르면 뇌의 전기적인 활동이 폭발적으로 증가하였습니다. 정상인의 수십 배에 달할 만큼….
그럼 다행이군. 그녀에게는 그게 정상이니까.
그리고 헬리오파우스(Heliosphere) 우주 정거장에서 보내온 축하 메시지가 도착했습니다.
뭐, 내용은 안 봐도 되겠지?
네. 지극히 형식적인 인사치레입니다.
****
회의실의 왁자지껄한 분위기가 선장의 등장과 함께 사그라들었다.

다들 잘 주무셨습니까? 뭐, 사실 7년 동안 줄곧 주무신 분들에게 할 아침 인사는 아니지만….

대원들이 모두 폭소를 터트렸다. 웃음이 잦아들 때까지 강선장은 대원 하나하나의 안색을 살폈다.

혹시 긴급하게 다루어야 할 사안이 있나요?

선장은 질문을 던지고 다시 한번 대원들을 훑었다.

없으면 예정된 일정으로 가도록 하겠습니다. 우선, 송도영 박사님은 오늘 여기 남아서 이미 전달받은 데로 일부 방사선균류의 갑작스러운 사멸 원인을 파악해주시기 바랍니다. 오동추 대원은 오늘 저와 함께 검은 아리아 계곡 탐방에 나설 겁니다. 각종 분석 장비와 보호기구 그리고 잠수정을 준비해주시기 바랍니다. 그리고 살만 팀장님은 김재준 박사님, 빅토르 대원과 함께 테라포밍 중앙 센터 돔으로 가셔서 지금까지의 진척 사항에 대한 종합적인 평가를 해주시기를 바랍니다. 이상입니다. 질문 있나요?

골렘 패밀리는 데려가는가요?

아, 깜빡했군요. 골렘원과 투는 안소진 대원 간호를 맡을 겁니다. 쓰리와 포는 살만 팀장님과 함께, 파이브와 식스는 저와 함께 가겠습니다. 출발은 오전 10시로 하겠습니다. 행성 날씨와 외부 환경 변화는 헤르메스가 실시간으로 전달할 것입니다. 그리고 무엇보다 안전이 가장 중요합니다. 모든 통신 장비를 열어두겠습니다. 그러니 약간의 변화에도 서로에게 연락하는 것 잊지 마시기를 바라며 약간의 의심에도 무조건 철수하시기를 바랍니다. 우리의 목숨보다 더 귀중한 것은 없으니까요.

****

선장은 눈 앞에 펼쳐진 모습에 바짝 긴장한 듯 침을 꿀떡 삼켰다.

검은 아리아 계곡.

가장 밝은 빛의 그림자가 가장 어둡다더니 정말이군요.

오동추 대원이 그의 옆에서 신음하듯 읊조렸다.

환하고 아름답기 그지없는 행성의 밝은 면을 지나자마자 왕복선의 헤드라이트 불빛이 반사하는 곳 외에는 아무것도 보이지 않는 칠흑 같은 어둠이 그들을 맞았다. 왕복선은 천천히, 안정적으로 깊은 계곡을 향해 내려가고 있었다.

안 되겠어. 헤르메스. 모든 외부 조명을 최대로 밝혀라.

네.

강렬한 빛을 발하는 센서들이 왕복선의 주변을 점점 크고 선명하게 밝혔다. 빛에 드러난 곳은 깎아지르는 절벽이었다. 크고 작은 돌과 암석들이 마치 쏟아질 듯 위태로운 광경이 계속 이어졌다. 왕복선이 점점 더 깊은 곳으로 내려갈수록 압도적인 어둠과 고요함이 주변을 감싸고 있다.

헤르메스! 몇 킬로 하강한 거지?

현재 3.7km 하강했습니다.

물이 있는 곳까지는 얼마 남은 건가?

곧 도착합니다.

미지의 것에 마주한 선장은 기대와 두려움이 휩싸였다. 이윽고 왕복선 엔진에 분수처럼 흩날리는 물방울이 눈에 들어왔다. 계곡의 바닥은 무한한 심연처럼 끝을 알 수 없는 어두운 물로 뒤덮여있었다. 그

심연의 바다는 정체를 알 수 없을 정도로 크고 깊어 보였다. 물의 표면은 달그락거리며 빛나는 것처럼 보이지만, 그 어떤 광채도 아닌 것이 분명하였다. 왕복선은 조용히 수면 위를 미끄러져 가며 주위를 살폈다.

헤르메스! 이 웅덩이는 얼마나 넓은 거지?

아하, 웅덩이라고 하기에는 조금 민망스럽습니다. 선장님. 지나치게 넓거든요.

넓다고?

우리는 지금 계곡에 난 구멍으로 들어 온 것이 아닌가?

맞습니다. 하지만 라이더스 측량(LIDAR Survey)으로 스캔한 결과는 놀랍습니다. 끝없이 넓은 동굴이 이어져 있습니다. 그 크기는 50만 제곱킬로미터가 넘습니다. 지구의 흑해보다 큽니다.

이럴 수가?

사실입니다.

그럼 땅속에 바다가 있단 말이야?

네.

그런데 왜 이걸 초기 개척선이 발견하지 못한 걸까?

그들은 햇빛이 비치는 낮의 지역만 조사했습니다.

그럼 이 바다는 오직 어두운 지역에만 분포한단 말인가?

네. 그렇습니다.

암흑 속에 끝없이 펼쳐진 심연의 바다라?

선장은 혼잣말처럼 중얼거렸다.

헤르메스. 깊이는 알 수 있겠나?

알 수 없습니다. 어떤 광선도 반사되지 않습니다.

그렇다면?

둘 중의 하나입니다. 지나치게 깊거나 혹은 빛을 흡수하는 무엇인가가 존재하거나. 깊이를 알려면 현재로서는 직접 들어가 보는 수밖에 없습니다.

헤르메스의 말에 선장은 암울한 기운에 빠지기 시작했다.

젠장, 이런 곳이라면 어떤 기괴한 생명체가 산다고 해도 믿겠어요.

오동추 대원이 선장을 보며 투덜거렸다. 그 순간 헤르메스의 전자음이 다시 울렸다.

한가지 특이점을 발견했습니다. 선장님.

뭔가?

해수면에 물풍선 모양이 포착되었습니다.

****

그곳으로 점점 가까이 가보니 거품이 보글보글 올라오고 있었다. 그리고 빛에 반사된 방울들이 수면 위로 올라와 춤을 추는 듯 흐느적거리다 공중으로 사라졌다.

해저 화산일까요?

그럴 수도 있겠지. 아니면 생명체가 내뿜는 공기일 수도 있고.

잠수정은 준비되었는가?

선장은 오동추를 바라보며 물었다.

네. 선장님.
자네는 여기 남게. 나는 골렘식스와 함께 수면 아래로 내려가 보겠다.
혹시 모르니 무기를 장착하는 게 좋을 듯합니다.
어느 정도 깊이까지 내려가야 할지 모르니 가벼운 것을 장착해주게.

네, 그럼 자기방어용 수중 소나 (Sonar) 및 음파 포, 소형 수류탄, 레이저 타격과 에너지 무기 정도만 준비하겠습니다. 승인 절차 부탁드립니다. 선장님.
****
선장과 골렘식스가 잠수정에 올라타자 왕복선이 서서히 해수면으로 접근했다. 왕복선 바닥이 물에 잠길 때쯤 외부 경고등이 번쩍이며 요란하게 울렸다.
선장님. 플로팅 도크 (Floating Dock) 시작하겠습니다.
스피커에서 난 오동추의 목소리가 에코처럼 울려 퍼졌다. 도크 문이 서서히 열렸다. 그러자 바닷물이 굉음을 내며 잠수정으로 몰려들었다. 잠수정이 파도에 밀쳐 요동치기 시작했다. 선장과 골렘식스가 손잡이를 잡고 버텼다. 전면 스크린에 물이 점점 차올라 마침내 잠수정 전체가 물속에 잠겼다.
분리 시행합니다. 선장님.
오동추의 말과 함께 잠수정이 왕복선에 떨어져 나와 밑으로 천천히 가라앉기 시작했다.
모든 통신 열려있습니다. 선장님. 잘 다녀오십시오.

왕복선에서 완전히 분리된 것을 확인한 선장은 골램식스에게 명령했다.

엔진 시동. 하강 시작.

골램식스가 패널 정면에 있는 붉은 버튼을 눌렀다. 그러자 잠수정이 잠에서 깬 듯 부드럽고 저음의 진동으로 전체 구조물을 흔들면서 서서히 나아갔다. 선장은 운전대를 잡고 천천히 당겼다. 수평으로 가던 잠수정이 서서히 각도를 아래로 향해 내려가기 시작했다. 둥근 창밖은 온통 암흑천지였다. 잠수정 전면 헤드라이트조차 바로 코앞의 장면만 비추었다. 결국 운전은 패널 전면에 붙은 각종 모니터에 의존할 수밖에 없었다.

선장은 차분하고 숙련된 동작으로 잠수정을 운전했다. 점점 내려갈수록 잠수정 내부가 환하게 비췄다.

내부 조명이 너무 밝은 것 같다. 모두 소등시켜라.

골램식스가 스위치를 모두 내렸다. 그러자 전면 시야가 좀 더 밝아졌다. 선장은 잠수정이 안정적인 상태가 되었음을 확신하고 시스템 점검 시행을 골램식스에게 명했다.

조명 시스템 이상 없음. 통신 시스템 이상 없음. 음향 탐지기(Sonar System) 이상 없음. 수집 넷(Net) 및 트롤링 장비 이상 없음. 카메라와 비디오 시스템 이상 없음. 바이오로그거(Bio-logger) 이상 없음. 바이오프로브(Bio-probes) 이상 없음. 유전자 시퀀싱 장비 이상 없음. 조직 샘플러(Tissue Sampler) 이상 없음. 수중 드론(ROV, Remotely Operated Vehicle) 이상 없음. 센스 장비 이상 없음. 바이오마커(Biomarkers) 분석 장비 이상 없음. 로봇 팔

(Manipulator Arm) 이상 없음. 음압 컨테이너 이상 없음. 모두 정상입니다. 선장님.

좋아. 그럼 샘플링 시작하도록.

네. 선장님.

골렘식스가 바쁘게 잠수정 내부를 오고 갔다. 선장은 줄곧 앞을 바라보며 혹시 모를 미확인 물체와의 충돌 대비에 정신을 집중했다. 심해로 들어갈수록 온도가 떨어지며 압력이 높아지기 시작했다. 그는 가끔 패널에 표시된 외부 온도와 압력을 지켜봤다.

잠시 후 골렘식스가 선장을 불렀다.

액체 성분 분석이 완료되었습니다. 선장님.

어떤가?

물 97%, 염화나트륨(NaCl) 3.5%, 소량의 마그네슘 (Magnesium), 칼슘 (Calcium), 칼륨 (Potassium), 산소 (Oxygen), 이산화탄소 (Carbon Dioxide), 질소 (Nitrogen), 인 (Phosphorus)을 소량 포함하고 있습니다. 신기합니다.

신기하다고?

네. 오염되기 전 지구의 바닷물과 아주 흡사합니다.

그래? 태양계 밖 외계 행성의 바다가 지구와 같다?

선장은 우연의 일치치고는 섬뜩한 느낌마저 들었다.

그럼 생명체도 존재할 가능성이 크다는 거잖아?

네, 잠시만요. 음…. 그러니까 유기탄소 농도가 0.1mg/L(밀리그램/리터) 로 나왔습니다.

그럼 어떤가? 이것도 지구와 흡사한가?

대략 지구의 10% 정도 됩니다.
그럼 생명체가 존재할 가능성이 크다는 거구만.
네. 아주 높습니다.

샘플링을 계속하도록…. 그리고 모든 생명 탐지 시스템을 가동하고 자세히 분석하기를 바란다.
네. 선장님.
그동안 잠수정은 조용하고 균형 잡힌 상태로 심해로 끝없이 내려갔다. 불빛은 물속으로 파장되면서 곧 희미해지고, 대신 흑회색의 단조로운 세상이 줄곧 이어졌다. 모니터에 비친 잠수정의 조명 아래로는 푸른 빛이 옅게 번지고 있었다. 어색한 정적이 계속되었다. 선장은 시선을 정면으로 고정한 채 어둠 속에서 왠지 모를 뭔가가 불쑥 튀어나올 것만 같은 공포와 새 생명체에 대한 기대감을 동시에 느끼기 시작했다.
현재 잠수정 깊이는 5km를 돌파했습니다. 선장님.
골렘식스의 말을 듣고 선장은 온도와 압력을 체크했다. 온도는 1°C에서 계속 머물렀다. 하지만 압력은 500기압까지 치솟았다.
우리 잠수정이 어느 정도까지 견딜 수 있지?
900기압까지입니다.
그럼 대략 9km까지는 내려갈 수 있다는 뜻인가?
네. 잠수정 매뉴얼에 따르면 그러합니다. 하지만 장담은 못 합니다.

무인 수중 드론은 어떤가?

11km까지입니다.

왜 그렇게 설계했지?

지구에서 가장 깊은 곳이니까요.

****

마침내 잠수정은 9km까지 내려갔다. 하지만 여전히 이 심해의 깊이를 알 수 없었다. 어쩔 수 없이 무인 수중 드론을 내보냈다. 골렘식스가 드론을 조종했다. 선장은 드론에 장착한 4대의 카메라가 보내오는 각각의 영상을 유심히 지켜봤다. 지금까지 화면에 비친 모습은 실망스러운 것뿐이었다. 생명체는 고사하고 부유하는 먼지조차 보이지 않았다.

11km까지 내려왔습니다. 선장님. 어떡할까요?

골렘식스가 걱정스러운 표정으로 선장을 쳐다봤다.

계속 내려가 보자고.

하지만…. 아무래도 안전이….

어쩔 수 없는 것 같네. 적어도 심해 깊이는 파악해야 하니까.

드론은 점점 더 어둠 속으로 내려갔다. 선장은 심각한 표정으로 모니터에 집중했다.

12km 넘었습니다. 선장님.

계속 내려가게.

이윽고 드론이 버거운 듯 움찔움찔하면서 오작동을 내기 시작했다.

아무래도 더는 어려울 것 같습니다. 선장님.

조금만 더.

조종장치가 말을 듣지 않습니다.

골렘식스의 말이 떨어지기 무섭게 수중 드론이 삽시간에 찌그러졌다.

완전히 맛이 갔습니다. 선장님.

골렘식스는 고개를 설레설레 저으며 선장을 쳐다봤다. 하지만 선장은 모니터의 화면을 정지시킨 후 눈을 떼지 않고 있었다. 그리고 낮은 목소리로 속삭였다.

뭔가 있어. 여기. 여기에 뭔가 있단 말이야.

골렘식스가 황급히 모니터를 쳐다봤다. 화면 속에는 흐릿하지만 매끈한 곡선의 모습을 한 인공구조물이 있었다.

심 해
남킹 장편소설
남킹 컬렉션 #001
그레고리 홀라디의 묘한 죽음
남킹 컬렉션 #002
거짓과 상상 혹은 죄와 벌
남킹 컬렉션 #003
신의 땅 물의 꽃
남킹 컬렉션 #004
심해
심해
DEEP SEA
남킹 SF 장편소설
남킹 컬렉션 #004

심해 #3

남킹 SF 장편소설

3일

선장은 손목시계의 진동에 억지로 눈을 떴다. 오전 3시 44분이었다.

긴급사항입니다. 선장님. 송도영 박사의 몸 상태가 지극히 안 좋습니다.
시계에서 울리는 골렘투의 목소리가 비정상적으로 떨렸다.
지금 어딘가?
병실입니다.
알겠다.
선장은 잠옷 바람으로 서둘러 병실로 향했다.
젠장, 무슨 일이 생긴 거지?
어제, 검은 아리아 계곡에서 돌아온 선장은 곧바로 송도영 박사를 찾았다. 하지만 그녀는 수면 증후군을 호소하며 실험을 중단한 채 일찍 잠자리에 들었다.
가뜩이나 인력이 턱없이 부족한데 이미 두 사람이나 이렇게 되다니!
도대체 수면 장치에 무슨 문제가 있는 거지?
사실 마르4469b 탐험 프로젝트 책임자로 강선장이 선임되었을 때 주변인들은 축하보다는 우려를 먼저 표했다. 그도 그럴 것이 10년 전, 3차 탐사대가 돌아왔을 때 대원의 절반 이상이 장기 휴직을 신청할 정도로 후유증이 컸다. 그들 대부분은 행성에 도착과 동시에 불안 장애와 환각에 시달렸다. 그 결과 예정된 실험과 임무는 거의 수행하지 못하고 돌아왔다.

그들이 얻은 수확이라고는, 검은 아리아 계곡 밑에 액체 상태의 물이 존재한다는 것을 발견한 것뿐이었다. 그러니 강선장이 팀을 꾸리는 데 애를 먹을 수밖에 없었다. 경험 많고 유능한 이들은 모두 그와 동참하기를 거절했다. 어쩔 수 없이 회사의 강압에 따라 로봇의 숫자를 늘리고 신입을 뽑았다. 강선장은 처음에 신입을 데려가는 것에 극구 반대했다. 이미 다섯 차례나 외계 행성 개척 프로젝트에 참여했던 그에게 초짜는 자살 여행이나 다름없어 보였다. 육체적 고통은 고사하고 그 정신적 피폐함은, 겪어보지 않고는 표현조차 하기 힘들었다.

하지만 어쩔 수 없었다. 회사의 강경한 태도도 있지만, 무엇보다 나날이 황폐해져 가는 지구 때문이었다. 푸른 지구는 이미 오래전 모습이었다. 숲은 사라졌고 사막이 그곳을 대신했다. 빙하는 절반이 사라졌고 극심한 홍수와 가뭄, 강력한 폭풍과 지독한 고온이 도시를 괴롭혔다. 동물 대부분은 당연하게도 멸종했다. 새소리는 영상에만 존재했다. 바다는 텅 비었다. 그저 떠다니는 쓰레기뿐이었다. 도시 외곽에는 끝없이 불타는 쓰레기와 폐기물이 사방에 널렸다. 대기는 이산화탄소와 유해 가스로 가득하다. 인간의 손길이 스친 모든 곳이 파괴되었다. 지구는 절망의 땅이었다.

인간의 이주만이 유일한 해결책이었다. 마르4469b는 사람이 살 수 있는 환경을 지닌 몇 안 되는 외계 행성이었다. 더욱이 액체 상태의 물까지 발견하였으니 더 이상 지체할 수가 없었다.

****

안소진 대원 맞은편 병상에 송도영 박사가 누워 있다. 그녀의 옆에는 골렘투와 골렘파이브가 긴장한 표정으로 체온과 혈압 등의 생체 신호를 모니터링하고 있다.

어떤가?

매우 안 좋습니다. 선장님.

그녀의 얼굴은 창백하였고 숨소리는 얕고 불규칙하였다. 그리고 한 번씩 가슴이 깊게 들썩였다. 파르르 떠는 눈가에는 고통과 불안이 얽혔다. 머리카락은 헝클어져 있고 피부는 탄력을 잃고 건조해 보였다. 박사의 침대 주변에는 채혈용 주사기와 약물 투여를 위한 IV 튜브가 연결되어 있었다. 그리고 옆 선반에는 각종 의료 용품과 약품들, 여러 가지 검사용 기구들이 무질서하게 놓여 있었다. 선장은 이 모든 것들이 주변의 긴장된 분위기와 상반되게 정적이라고 느꼈다.

이럴 때 김재준 박사라도 옆에 있으면 좋으련만….

김 박사를 포함하여 중앙 센터 돔으로 떠난 대원들은 여전히 그곳에 머물고 있다. 선장은 무심코 골렘투의 옆 모습을 쳐다봤다. 비록 인조인간이지만 그 표정에는 그의 무력함이 고스란히 비쳤다.

절망적입니다. 선장님. 모든 조치에도 불구하고 혈압이 계속 떨어지고 있습니다. 심장이 잠들려고 합니다.

선장은 그녀와 모니터를 번갈아 쳐다봤다. 모니터 상단에는 심전도 파형이 실시간으로 나타났다. 누가 봐도 불규칙한 파형임이 분명했다. 게다가 심박수 숫자, 혈압도 점점 떨어졌다. 송 박사의 모습이 점점 심연으로 빠져들어 가는 듯 어두워지기 시작했다.
CPR(심폐소생술) 준비하게.
선장은 절망적인 목소리로 골렘투를 바라보며 명령했다.
네.
대기하고 있던 골렘식스가 AED(자동제세동기) 장비를 가지고 서둘러 병실로 들어왔다. 그리고 그 순간, 심장 박동 모니터에 심전도 파형이 사라졌다. 모니터 화면에 평평한 선이 이어졌다.
골렘투가 급하게 AED의 배터리 팩과 패드를 연결하고 그녀의 가슴에 붙였다. 그동안 선장은 심폐소생술을 계속했다. 그리고 외쳤다.

제세동기도 준비하도록!
****

선장의 호출을 받고 살만 팀장과 김재준 박사가 모선으로 돌아왔다.

어떻게 된 겁니까? 선장님.
안타깝지만 송도영 박사님이 사망했습니다.
원인은?
그것 때문에 박사님을 불렀습니다. 송 박사의 사망 원인을 밝혀 주시기를 바랍니다.
그럼?
네. 송도영 박사님의 부검을 허락합니다. 골렘투와 골렘파이브가 도울 것입니다. 송 박사의 생전 모습이 담긴 영상과 실험 일지 등은 골렘투가 제공할 것입니다. 그리고 살만 팀장은 저와 함께 할 일이 있습니다. 제 방으로 같이 가시죠.

****

사무실에 살만 팀장이 들어서자 강선장은 조용히 문을 걸어 잠그고 실내 화장실로 들어갔다. 그리고 그를 손짓으로 들어오라고 불렀다. 의아한 표정으로 살만이 들어오자 선장은 다시 화장실 문을 잠그고 휴대용 전파 탐지기를 틀었다.

미안하네. 이렇게 하는 이유는 곧 말하겠네. 잠시만 참아주게.

네. 선장님.

전파 탐지기의 붉은 등이 푸른색으로 바뀌었다. 선장은 낮은 소리로 팀장에게 속삭였다.

자네와 내가 프로젝트에 같이 참여한 세월이 어느 정도였지?

그야 제가 입사할 때부터 줄곧 선장님과 함께….

그렇지. 우리가 같이한 세월이 자네 가족들보다 길다고 그랬지.

맞습니다. 게다가 죽을 고비도 여러번 넘겼죠. 선장님이 저를 살린 적도 있고.

그러게. 그때가 엊그제 같은데….

그들은 잠시 회상에 젖은 듯 좁디좁은 화장실에 다닥다닥 붙어 천장을 바라보며 말을 잇지 못했다.

헤르메스에 무슨 문제가 있는 건가요? 이렇게 우리가 숨어서 대화를 나눌 정도라면….

침묵을 깬 건 살만 팀장이었다.

명확하지는 않아 하지만 뭔가가 있어. 이번 탐사대를 꾸리면서 줄곧 느껴온 생각일세.

어떤 느낌을?

소외당하고 있다는 것.

그건 아무래도 지난번 탐사 때 선장님이 선상 반항 사건의 주동자로 지목받은 탓이 아닐까요?

물론 그것도 있지. 회사 차원에서 영향을 안 받을 수 없는 사건이었으니까…. 사실 그 일이 있고 난 후 두 번 다시 탐사 프로젝트에는 참가 못 하는 줄 알았거든. 에지워스 카피어 벨트에 있는 한직으로 쫓겨나 직원들 근태관리 같은 그 딴 거나 시킬 줄 알았지.

저도 선장님이 이번 탐사대를 맡는다는 소식에 처음에는 두 눈을 의심했습니다.

자네야 그러고도 남겠지. 회사의 주의할 인물로 찍힌 게 어디 한두 번인가? 지금까지 안 잘린 것만 해도 해외 토픽감이지.

그들은 서로를 쳐다보며 입을 막고 고개를 끄덕이며 웃었다.

자네와 나는 마르4469b 초기 탐험 멤버가 아닌가!

웃음을 거둔 강선장은 다시 심각한 표정으로 살만 팀장에게 속삭였다.

그렇죠. 벌써 25년 전입니다.

그때 기억이 나나? 우리 회사. 우주 식민지 개척 사업에 막 뛰어든 초라하기 그지없는 회사였잖아?

그랬죠. 그때 비하면 지금은 회사 규모가 600배 이상 커졌으니….

다들 무모한 도전이라고 하고 아무도 반겨주지 않았잖아. 심지어 우리가 떠나는 것도 국민은 모를 정도였지.

살만 팀장은 말없이 고개를 끄덕였다. 마치 그때의 서운함이 엊그제 일인이 마냥 표정이 어두워졌다.

하지만 지금은 어떤가? 온 국민의 관심이 우리 개척 우주인에게 쏠려 있지 않은가! 회사의 위상은 이제 국가를 초월하는 막강한 파워를 지녔고….

결국 지구가 망가지니 다들 떠나려고 안달이 난 거죠.

그러니 이번 프로젝트가 이상하다는 거야. 국민의 절대적 후원과 범국가적 지원을 받은 이번 탐사에도 불구하고 회사에서 제공하는 것은 터무니없이 적다는 거지!

저도 왠지 회사가 그다지 적극적이지 않다는 느낌은 받았습니다.

내가 보기에는 아주 소극적이야! 우선 헤르메스를 예로 들어보지. 헤르메스가 언제의 인공지능이지? 우리 초기 탐사 시절에도 헤르메스였어! 이미 한물간 AI란 말이야. 지금은 단종되어 업그레이드도 되지 않아.

하긴 제 조카 학교 시스템에도 헤르메스를 쓴다고 들었습니다.

게다가 통상적으로 인조인간은 3명 이상은 두지 않아. 10년 전에 떠들썩했던 선상 로봇 반란 사건…. 자네도 알고 있잖아?

네, 유명하죠.

그때 이후, 장기 우주 탐사대에 함께 타는 로봇은 항상 최소한으로만 해왔어. 그런데 이번에 6명이 탑승했어. 너도 느끼겠지만 절반은 지금 빈둥빈둥 놀고 있어. 하지만 더 웃기는 게 뭔지 알아?

뭔가요?

골램 로봇 시리즈는 작업에는 탁월한 효율성을 지녔지만, 중량이 많이 나가는 관계로, 무게에 민감한 외계 탐사 우주선에는 전혀 맞지 않다는 거지. 이런 사실은 초등학생이라도 알 수 있는 거야. 그런데 회사에서 이것을 고집하고 있어. 그리고 그 늘어난 무게만큼 대원들의 숫자를 줄였지.

그러면?

대원의 수를 줄이기 위한 방편이었던 거지.

왜 그런 짓을?

우리는 이곳에 도착하자마자 벌써 한 사람은 죽고 한 사람은 의식불명 상태야. 뭔가 느끼는 게 없나?

그러면?

김재준 박사는 고령이야. 아내와 사별했고 자식들은 모두 독립했지. 오동추는 고아로 조폭 출신이지. 감방에서 진행한 특별 우주 학교를 수석 졸업하고 우리 회사에 입사했지. 빅토르 린은 악명높은 해커 출신이고. 그 또한 가족이 없어. 송도영 박사는 이혼 후 줄곧 혼자 살았어. 안소진은 어릴 때 버림받았고. 나는 무자식에 이혼남이고. 우리 대원 중 자네만 유일하게 가족이 있네. 알다시피 회사에서 자네를 나와 떼어 놓으려고 무척 애쓰지 않았나? 그게 어떤 의미일까?

그럼 이번 탐사에서 모두 죽어도 그다지 문제 되지 않을 대원들만 일부러 회사에서?

****

강용석 선장은 긴급회의에 참석한 이들을 쭉 훑어봤다. 살만 팀장,

빅토르, 오동추 대원 그리고 골렘파이브와 골렘식스가 원탁에 앉아 선장을 주시했다.

불행하게도 오늘 우리는 송도영 박사를 잃었습니다. 삼가 고인의 명복을 비는 의미에서 1분간 묵념하겠습니다.

다들 고개를 숙였다. 강선장도 눈을 감았다. 하지만 머릿속은 온갖 의문과 걱정으로 혼란스럽기만 하였다.

아무튼 더 이상의 희생은 없어야 해!

묵념이 끝나자 선장은 결연한 심정으로 회의를 진행했다.

지금 송 박사님의 사인을 밝히기 위한 부검을 김재준 박사님 주도하에 진행 중입니다. 결과는 나오는 대로 여러분에게 알려드리겠습니다. 우선 그 전에 송 박사님의 사인이 외부 오염 물질, 즉 박테리아나 유해 미생물에 의한 것일 가능성이 있는 관계로 박사님의 실험실과 병실 모두 폐쇄 조치하였습니다. 그리고 골렘원의 주도하에 살균 및 정화작업을 하고 있습니다. 이 점 특히 유념하시기 바랍니다. 그리고 혹시 본인의 몸 상태가 정상이 아니라고 느끼면 즉시 신고하여 제2의 불상사를 사전에 차단할 수 있기를 바랍니다.

선장은 말을 멈추고 골렘파이브에게 준비한 영상을 띄우도록 지시했다. 회의실 한쪽 벽면이 큰 모니터로 바뀌었다. 그곳에 전날 촬영한 검은 아리아 계곡이 나타났다. 참석자들의 시선이 모두 한곳으로 집중되었다.

골렘파이브! 영상의 끝 3분 전으로 맞춘 뒤 정지시켜주기 바란다.

네.

화면이 매우 빠른 속도로 지나갔다. 그리고 딱 멈추었다. 화면 속에는 흐리지만 뭔가 시커먼 물체가 나타났다.
여러분, 지금부터의 영상을 잘 살펴보시기를 바랍니다. 어제 3개의 수중 드론을 잃어가며 촬영한 귀한 자료입니다. 수심은 12km 정도이고 심해 바닥으로 추정합니다. 자 그럼 골렘파이브! 영상을 진행하도록.
어둠으로 둘러싸인 심원한 바닷속으로 여러 모양의 암석들이 차례로 나타났다. 그러다 문득 뭔가 이상한 것이 나타났다. 흐릿하지만 틀림없이 두드러진 둥근 형태의 물체였다. 물체는 놀라울 정도로 거대하며, 어떤 빛도 반사하지 않았다. 이 규모와 모양은 마치 오래된 신화나 고대의 비밀스러운 유적 같은 느낌이 들었다. 하지만 영상은 너무 짧았다. 곧 멈추고 말았다. 그래서 선장은 그 부분만 무한 반복을 지시했다.
참석자들은 모두 넋이 나간 듯 화면에서 눈을 떼지 않고 있었다.

어떤가요? 여러분.
선장은 참석자들을 하나하나 바라보며 질문을 던졌다.
자연적으로 생성된 물체는 절대 아닌 것 같습니다.
살만 팀장이 나서서 말했다. 그러자 참석자 모두 고개를 끄덕였다.

우리가 만든 것도 아닌 것은 확실합니다.
빅토르가 그의 의견을 제시했다.
그렇죠. 우리가 만들었을 리가 없습니다. 저렇게 거대한 원형 구를 이 먼 곳까지 가져와서 심해에 둘 이유는 전혀 없는 것이니까요.

오동추가 추가 설명을 했다.

몇 개 정도 발견한 건가요?

이 영상에 나오는 물체의 개수는 대략 5개 정도입니다. 하지만 드론이 촬영한 영역이 지극히 한정적인 점을 고려해야 합니다. 지금 영상으로 보면 심해 바닥을 거대 인조물이 거의 다 덮고 있습니다. 만약 이것을 전체 바다로 확대하자면 그 숫자는 도저히 상상이 안 될 정도로 늘어날 것입니다.

그곳 바다가 넓은가요?

흑해보다 큽니다.

참석자들의 눈이 놀라움으로 가득하였다.

혹시 생명체는 발견한 건가요?

그게 더 이상합니다. 그곳 심해는 지구가 오염되기 전 바다와 흡사한 성분을 가지고 있습니다. 즉 소금물입니다. 그리고 유기 화합물도 가득합니다. 하지만 생명체를 아직 발견하지 못했습니다.

생명체를 발견하는 것보다 더 이상한 일이군요.

살만 팀장이 턱을 문지르며 말했다.

네, 현재까지는 그렇습니다.

헤르메스는 뭐라고 하던가요?

영상 분석을 의뢰해 둔 상태입니다. 아마 결과는 내일쯤 나올 겁니다.

본사에 문의해보는 것은 어떨까요?

그것도 고려해 봤는데 너무 늦습니다. 데이터 전송에만 일주일입니다.
그럼, 선장님. 향후 계획은 어떻게 하실 건가요?
그래서 이 자리에 여러분을 오시라고 한 것입니다. 저는 그 물체 중 한 개를 지상으로 끄집어낼 생각입니다. 다른 의견 있으신가요?
가능할까요? 수중 드론이 모두 박살이 날 정도로 강한 압력인데….

빅토르가 걱정스러운 눈빛으로 선장을 쳐다봤다.
가능한 모든 방법을 동원할 생각입니다. 여러분, 이 사실을 먼저 염두에 두시기를 바랍니다. 우리가 태양계 밖 우주 식민지 개척을 시작한 지 이미 반세기가 지났습니다. 지금까지 스무 곳이 넘는 행성이 후보지로 개발되었고 그중에 일부는 이미 선발 주민들이 주거를 시작했습니다. 그리고 백 군데가 넘는 지역에서 외계 생명체를 발견하기까지 하였습니다. 하지만 대부분이 단일 세포 혹은 몇 개의 세포로 이루어진 원기 생물이었습니다. 그나마 고등 생물이라고는 지구의 플랑크톤 정도의 수준이었습니다. 우리가 기대하던 지적 생명체의 흔적은 그 어디에도 없었습니다. 그런데 바로 지금, 어쩌면 우리와 다른 지적 생명체가 만들었을 것 같은 물체를 여기서 발견한 것입니다. 여러분.

퍼즐의 끝에는 상상도 못한 연결고리가 있다!

NAM KING COLLECTION #004

심해
DEEP SEA

NAM KING

남킹 SF 장편소설

파벨 예언서
떠오르는 위협
남킹 장편소설
남킹 컬렉션 #008

신의 땅 물의 꽃 #1

남킹 철학 판타지 소설

1. 귀향

나는 비로소 집으로 돌아왔다. 그리고 늙고 병들었다. 내 인생의 종착역이 보인다. 99년의 내 삶을 돌이켜보면, 짧지도 길지도 않지만, 뚜렷하게 행복하지도 불행하지도 않았다. 그런 점에서 나는, 대체로 만족스럽다고 스스로 위로했다. 왜냐하면 내가 살아온 시대는, 평화와 전쟁, 파멸과 희망, 종말과 재건, 살육과 용서가 격하게 어우러진, 그야말로 격동의 시절이었다. 나는 대모님의 충고대로, 선한 자들을 친구로 두었고, 그들과 함께 파괴와 고통으로 얼룩진, 이 땅을 보호하고자 나의 모든 것을 쏟아부었다. 그리고 나는 운 좋게도 아직 살아있다. 다만, 내 몸뚱이보다 더 소중했던, 나의 연인, 벗들이 모두 내 곁을 떠났다는 사실이, 나를 괴롭고 외롭게 만들었다. 그야말로 살아남은 자의 슬픔이었다.

내가 살아 있다는 것. 그리고 여전히 기억은 뚜렷하고, 천천히 먹고 움직이며, 글을 쓸 수 있을 정도의 기력이 남아 있다는 것에, 나는 지금 고마움을 느낀다. 왜냐하면 나는 내 마지막 의무를 알고 있기 때문이다. 나는 죽기 전에, 나의 시대를 스쳐 간, 의인들의 이야기를 후세에 남기기를 원한다. 어찌 보면 이것은, 미래를 살아갈 이들에게 주는 일종의 교훈일 수도 있고, 앞서간 이들이 자행한 일들에 대한 반성문일 수도 있다. 하지만 가장 중요한 점은, 종말과 파멸의 시대를 버티고 극복하기 위해, 모든 것을 불살랐던 고귀한 영혼들의 기록이라는 점이다.

그 영혼의 처음을 나는, 내 사랑, 내 아내, 나의 처음이자 마지막 연인이었던, <나탈리아>로부터 시작하려고 한다. 그 누구보다 그녀는 위대한 역사가이자 저술가이고 전사였다. 예언가이신, 장인어른의 말씀을 기록한 <나탈리아의 일기>와 전쟁의 전, 후를 생생하게 기록한 <나탈리아의 편지>는, 내가 기억하고 앞으로 서술하게 될 이야기의 바닥짐과 같은 존재임이 틀림없다. 사실 나는 아내의 기록을 읽으며 세상을 이해하고 받아들인, 최고의 수혜자다. 그녀는, 글을 깨우친 순간부터, 연필과 종이만 주어진다면 끊임없이 기록했다.

그녀의 아버지가 잠에서 깬 후, 읊조리는 모든 말을 빠짐없이 일기장에 남겼으며, 이것이 예언으로 판명되자, 그녀는 한평생, 예언의 정확한 해석과 검증, 실천에 힘을 쏟았다. 나는 세세하고 꼼꼼하게 기록된 그녀의 일기를 감탄의 시선으로 바라보며, 동시에 사랑을 키웠다. 그리고 그녀의 모든 기록은, 동쪽 끝, 세상의 아침이 맨 먼저 시작하는 곳, 바로 <신의 땅>에 천년의 세월을 굳건히 버티며 우뚝 솟은, 세상 모든 지식의 고향으로 유명한 <가르니에> 수도원 도서관에 보관되었다. 내가 간절히 바라던 바가 이루어진 것이다.

나의 이야기는, 그러므로 아내의 저술을 요약한 것에 나의 경험을 살짝 얹혀놓는 정도가 될 것이라는 사실을 부정할 수는 없다. 다만 그런데도 책의 분량이 만만치 않음을 추측할 수 있는 게, 워낙 그녀의 저술이 방대하기 때문이다. 어찌 보면 나는 글을 쓰기보다는, 기존의 내용을 간추리는 일에 더 많은 시간이 필요할지도 모르겠다. 하지만 나의 시간이 얼마 남지 않았음을 나는 잘 알고 있다. 나는 죽을 때까지 글쓰기를 멈추지 않을 것이지만, 그것이 오늘이 될지 내일이 될지는 알 수 없다. 그러므로 나는 내 인생의 가장 중요한 만남이었던, 그날의 일을 서둘러 기록하여 한 권의 책으로 남기려고 한다. 나의 첫 작품의 완성 후에도, 운 좋게도 내가 여전히 기력이 남아 있다면, 나는 신에게 감사하며, 홀가분한 마음으로 다음의 이야기를 이어갈 수 있을 것이다.

신의 땅
물의 꽃
남킹 장편소설
남킹 컬렉션 #003

남킹 컬렉션 #011

1월의 비

남킹 감성 소설집

신의 땅 물의 꽃 #2

남킹 철학 판타지 소설

2. 신의 땅

그날, 나는 나의 벗, <사리>에게서 긴급한 메시지를 받았다. 사리는 비밀 결사 단체인 <사피엔티아>의 세 번째 형제다. 나는 훗날, <릴리안 나리>의 역사책에서 사리를 언급한 것을 먼저 적어보겠다.

'사리는 기호학자이고 해커였다. 그가 군사 비밀 협정 유출에 관한 스파이 혐의로 구속되었을 때, 가우타가 그를 찾았다. 가우타는 낡은 종이 한 장을 그에게 보였다. 그리고 곧 형제가 되었다. 그가 내민 문서의 내용은 지금까지 밝혀지지 않았다. 다만, 사리가 하염없이 눈물을 흘린 것만 알려졌다. (<릴리안 나리>의 <천년 왕국의 기록> <구원 편> 17장 99절)'

나는 대륙 횡단 열차를 타고, <신의 땅> 국경을 넘기 직전이었다.

'메멘토 모리, 그들이 움직이기 시작했습니다. 조심하세요. 추적이 가능한 곳을 최대한 빨리 벗어나세요. 메멘토 모리.'

기차는 실시간 위치 추적이 가능하다. 나는 다음 정거장을 확인했다. <뷔징겐> 역. 3분 이내에 도착 예정이었다. 뒤이어 <환락의

땅> 남쪽 항구도시에 있는, 호텔의 직장 동료에게서도 다급한 메시지가 왔다.

'수십 명의 <파더스> 경찰대원들이 당신을 찾고 있습니다. 무슨 일이 있었나요?' 나는 모든 연락 가능한 스마트 기기의 전원을 즉시 껐다. 가슴이 옥죄어오고 식은땀이 등줄기를 타고 흘러내렸다. 지금부터는 오직 사피엔티아와만 연락할 수 있게 만들었다. 그리고 나는 사리에게 답신을 보냈다.

'메멘토 모리. 열차에서 곧 하차합니다. 뷔징겐 역. 메멘토 모리.'

곧이어 그룹 전체 메시지가 도착했다.

'메멘토 모리. 수보티, 게른타 형제 체포됨. 최대한 빨리 신의 땅으로 피신하기 바람. 메멘토 모리.'

****

나는 기차에서 내리자마자 하늘을 쳐다봤다. 아니나 다를까, 수 십대의 추적 드론이 열차 플랫폼 근처를 비행하고 있었다. 그때, 사리의 메시지가 왔다.

'메멘토 모리. 주차장에서 마틴 찾기 바람. 선글라스. 메멘토 모리.'

플랫폼 내는 비행 금지 구역이므로, 드론은 역을 빠져나오는 사람들을 대상으로 일일이 신원확인을 하고 있었다. 나는 가까운 화장실로 급히 들어갔다. 그리고 변기 뚜껑 위에 배낭을 펼친 뒤, 겉옷을 급하게 벗었다. 그리고 <복합인지 위장용 조끼>를 배낭에서 꺼내 속에 걸치고 다시 옷을 입었다. 나는 느긋한 표정으로, 천천히 열차 대기실을 빠져나와 특수 렌즈가 장착된 선글라스를 꼈다. 몇 대의 드론이 나를 졸졸 따라 오더니 이내 포기하고 가버렸다.

주차장에 도착한 나는, 마치 관광객인 양 두리번거리며 차량을 조사했다. 그리고 마침내 윈도에 <마틴>이라는 글자가 쓰인 차를 발견했다. 나는 안경을 벗고 운전석에 탑승한 후 시동을 걸었다. 무척 오래되고 낡은 차였다. 어쩔 수 없었다. 최근 차량은 AI가 기본 탑재되어, 땅속으로 꺼지지 않는 한 모든 추적이 가능하였다. 나는 잠시 어디로 향할지를 고민하다가 이내 생각을 포기하였다. 지금으로서는 최대한 도시에서 멀어지는 방법뿐이었다.

나는 수동 운전으로 전환한 뒤, 가속 페달을 꾹 밟았다. 차는 한 번 덜컥거리더니 이내 빠르게 속도를 내기 시작했다. 그렇게 30분쯤 산길을 달렸을 때, 메시지와 함께 목적지를 받았다.

'메멘토 모리. <가르니에 수도원>. <아난다> 원장 찾기 바람. 메멘토 모리.'

나는 차량 내비게이션에 목적지 주소를 이식하였다. 그리고 자동

운전으로 전환하였다. 옵션으로 <오로지 좁은 도로로만>을 선택했다. 그리고 길게 한숨을 쉬었다.

****

어느새 나는 꽤 깊은 산중을 달리고 있었다. 더 이상 드론은 보이지 않았다. 나는 자동차 시트를 최대한 뒤로 빼고 눕힌 다음, 지그시 누워 눈을 감았다. 온통 나탈리아 걱정뿐이었다. 그녀와 연락이 끊어진 게 벌써 일 년이 넘었다. 그저 <생체 인식 동기화 표시>에 <생존>을 알리는 녹색등이 꺼지지 않았다는 것으로만 위로했다. 사실 <사피엔티아> 두 번째 형제인, 나탈리아의 갑작스러운 실종은 형제들 사이에서도 의견이 분분했다. 다만, <사피엔티아> 설립자이자 첫 번째 형제인, <가우타 로터스>와 함께 비밀 지령을 수행하고 있다는, 추측만 할 뿐이었다. 그저 답답한 노릇은, 지금 당장 그녀를 위해 할 수 있는 일이, 나로서는 아무것도 없다는 거였다. 나는 긴 한숨과 함께, 앞으로 펼쳐질 불길하기 짝이 없는 일들이 현실로 다가오고 있다는 불안감을 떨쳐 버릴 수 없었다. 적들은 기대보다 무척 빨리 우리 곁을 서성거리고 있었다.

나는 몇 시간을 달려, 마침내 신의 땅으로 건너갔다. 그리고 이곳

경계에 마련된 주차장에 차를 세운 뒤, 사리에게 마지막 메시지를 보내고, 모든 장치나 기기를 차에 두고 내렸다. 이곳에서는 어떤 교통수단이나 통신 수단을 쓸 수 없으며, 모든 장식품이나 사치품조차도 지닐 수 없다. 그저 사는 데 필요로 하는 최소한의 것만 허용되었다.

이것은, 이 땅의 시조이신 <프라이스 다즈>님이, <호모 사피엔스>의 대멸종 이후, 하늘 즉, 인공위성과 다른 행성 그리고 그것의 위성 식민지에 뿔뿔이 흩어져 있던, 신을 경외하는 선한 이들을 이끌고 지구로 귀환하여, 천신만고 끝에 맞이한 신선하고 푸른 땅을, 정확히 동서남북으로 등분하여 마련한 터전에서 비롯하였다. 중앙을 차지하는 크고 넓은 사막은 <텅 빈 땅>, 동쪽은 <신의 땅>, 서쪽은 <정령의 땅>, 남쪽은 <환락의 땅>, 북쪽은 <문명의 땅>으로 규정하고, 국가의 통치와 경제, 과학, 사회 발전은 문명의 땅에서 하되, 절대 불가침으로 규정한 신의 땅에서는 철학과 신학, 인문 지식을, 환락의 땅은 예술, 문화, 관광, 인간 쾌락의 누림을 보장하고, 정령의 땅은 죽음과 감옥, 귀양살이 및 고아들을 관장하는 구역으로 나누었다.

그리고 인간을 두 부류로 분류하였다. <평민>과 <선민>. 사람을 계급의 높낮이 혹은 등급으로 규정하는 것은, 얼핏 보면 미개 시대 혹은 절대 권력의 소수 집단이 세상을 지배하던 시절에나 있을 법한 사상이라고 깎아내릴 수도 있지만, 따지고 보면, 대멸종 이전, 인간이 역사적으로 마련한 가장 공정한 제도라도 일컫는 의회 민주주의조차 무능력하거나 탐욕에 가득한 정치 지도자를 양산하였고, 피지배자의 삶은 순탄치 못하였음을 반성하고 그 대안으로 나온 불가피한 조치였다.

대다수를 차지하는 평민은, 이 땅 어디에서든, 자신이 원하는 곳에 뿌리를 내리고 살 수 있었다. 하지만 소수의 선민은 달랐다. 이 땅에 탄생한, 선민의 부모가 낳은 새 생명은, 서쪽에서 유년의 10년을 보낸 뒤, 동쪽에서 청년이 될 때까지 신학과 지식을 쌓고 남쪽에서 환락의 젊음을 보낸 후, 그 유혹을 이겨낸 자들만 중년이 되면 북쪽으로 건너가, 안정적이고 편안한 가정을 꾸미고 삶을 즐긴 뒤, 노년에 다시 서쪽으로 가서 죽음을 맞도록 하였다.

선민의 삶은 오로지 평민을 위한 것. 그러므로 모든 삶의 궤적이 공개되고 평가되었으며, 자칫 사소한 실수나 잘못이 있으면 그 신분을 박탈당했다. 그리고 선민은 정치, 경제, 경찰, 국방, 과학, 문화, 예술 등 모든 중요한 보직의 책임자로 살아야 하지만, 사유 재산은 허락지 않았다. 그리고 선민 중에 가장 존경받는 이를 왕으로 옹립했다.

이렇게 왕국은, 설립자의 의도에 부합하는, 대체로 평화로운 천년을 보냈다. 적어도 북쪽 문명의 땅에서 경제와 첨단 기업 및 태양계 식민지 상당수를 장악한 <파더스 가문>이 쿠데타를 일으키기 전까지는 말이다.

****

나는 구불구불한 산길을 몇 시간 더 걸었다. 그리고 그나마 평지가 남아 있는, 한적한 시골에 도착하여 잠시 숨을 골랐다. 목적한 마을에 도착한 것이다. 투명한 하늘 아래, 건물은 오래된 듯 낡지 않았고 지저분한 듯 정돈되어 있었다. 우선, 방문객은 눈을 씻고 봐도 띄지 않았다. 좁은 골목은 막힌 듯 구부정하게 경사를 따라 오르락내리락하였고, 돌길이 끝난 자리에는 여지없이 포도밭이 펼쳐졌다. 밭은 언덕 전체를 휘어 감고 그 끝의 경계를 감히 재 볼 수 없을 정도로 이어졌다.

사람이 없는 곳이라고 해서, 혹은 사람들에게 인기가 없는 곳이라고 해서, 그곳의 가치를 함부로 속단할 수는 없다. 과거의 화려한 영광이 서린 곳일 수도 있고, 숨을 멎게 만드는 비경이 모습을 감춘 채, 우연한 방문자에게 놀라움을 전할 수도 있기 때문이다. 그런 의미에서 가파른 언덕 꼭대기를 온통 덮고 있는, 검은 회색의 수도원이 중앙을 차지한 마을은, 차량 내비게이션이 안내해준 곳치고는, 꽤 호기심을 자극할 만한 풍경이었다.

마을이란, 사람과 마찬가지로, 사람들이 걷는 모습을 보면 알 수 있다. 드물게 눈에 띈, 농부든, 수도사든 그들의 걸음걸이는 아주 느렸다. 마치 달 표면을 걷는 듯하였다. 시간이 지나치게 느리게 가는 곳. 분명 내가 한동안 머물렀던, 환락의 땅과는 달랐다. 그곳은, 비정형, 불규칙, 가속, 오락가락, 드러남에 대한 과도한 관심, 확 트인 길과 잡동사니가 쌓인 골목, 작은 혼돈들이 뭉쳐 거대하게 뒹구는 탐닉들이 혼재하여 뿜어져 나오는 도가니 같았다.

나는 새로운 공기를 들이마시며, 익숙하지 않은 환경이 제공하는 불안감을 애써 떨쳐보려고 애썼다. 동시에, 뜻하지 않은 공간에서 맞이하는 생소함에 신선한 자극을 느꼈다. 인간은 언제나 새로움을 추구한다. 호기심은 보호본능보다 더 충동적이다. 조금 전 무언가가 내 안에서 자극처럼 튀어나왔다. 나는 이곳을 좀 더 훑어보기로 작정했다. 그러려면 무엇보다 숙소를 찾아야 하였다. 해가 지고 있었다.

****

특이하게 두꺼운 슬레이트 지붕이 낮게 내려선 곳. 호텔을 표시하는 간판은 눈에 띄지 않게 작았다. 반질거리는 조약돌을 쌓아 놓은 공터를 지나자 입구가 비로소 나타났다. 경쾌한 클라브생 음악이, 알 수 없는 곳에서 흘러나왔다. 안내대는 허름한 칸막이벽 하나로 구분되었다.

텅 빈 곳. 아무도 없었다. 손님도 주인도. 마호가니 서랍장만이 외로이 남아 있다. 벽지는 모서리마다 얼룩지고 부풀어있었다. 벨벳 커튼이 묶인 채, 창을 암울하게 살짝 가렸다. 오랫동안 펼쳐지지 않은 윤곽이 고스란히 회색빛 먼지로 포장되었고, 창틀 언저리에는 좀나방이 죽어있었다. 그리고 창문 유리에 비친 나의 얼굴은 흐리게 일그러져있었다. 호젓하기 짝이 없는 이곳에서 언제나 인간은 혼자였다. 나는 발길을 돌리려다 멈췄다. 다른 호텔을 근처에서 찾을 가능성이 없음을 본능적으로 느꼈기 때문이다. 그냥 기다리기로 했다.

여주인이 나타났을 때, 나는 <릴리안 나리>의 <호모 사피엔스 기록> <고대 철학 편>을 읽고 있었다. 한 달째 읽고 있다. 하지만 아직 절반도 못 읽었다. 나는 유난히 책 읽는 속도가 느렸다. 이해되지 않는 문장이 나오면 무한 반복 테이프처럼 지칠 때까지 곱씹었다. 특히나 이 책은 참 고통스러웠다. 마치 낱장 한 장 한 장이 한 권의 책처럼 느꼈다. 차라리 멍하니 그냥 기다리는 게 쉽다고 생각했다.

아무튼, 한 장 반을 더 읽었다.

어느새 어둠이 세상을 덮었다. 수수한 마실꾼 행색의 그녀는 아무 말 없이 나에게 <하이드로멜리> 한 잔을 따라 주었다. 신의 땅에서 마실 수 있는 유일한 술이다. 그리고 묻지도 않고 보드에 걸려 있는 방 열쇠 하나를 내어 주었다. 나와 눈이 마주치자 입꼬리를 살짝 올리며 눈웃음을 지으며 말을 했다.

"301호에요. 3층 복도 끝 방입니다." 동부 억양이 심하게 섞인 공용어를 겨우 알아들었다.

"실례지만 방값은?" 나는 눈을 끔벅거렸다.

"알아서 줘요. 당신이 유일한 손님이니까." 주인은 넌지시 해쭉 웃으며 나가버렸다. 나는 술잔을 들이켰다. 시큼한 향이 목을 막으며 퍼졌다. 그 순간, 아내와 보낸 마지막 밤이 무척 그리웠다. 나는 주머니에 담긴 몇 안 되는 동전을 모두 털어 안내대에 두었다. 그리고 천천히 계단을 올라갔다.

남킹 컬렉션 #001
그레고리 홀라디의 묘한 죽음
남킹 컬렉션 #002
거짓과 상상 혹은 죄와 벌
남킹 컬렉션 #003
신의 땅 물의 꽃
신의 땅 물의 꽃
남킹 장편소설
신의 땅
물의 꽃
남킹 장편소설
남킹 컬렉션 #003

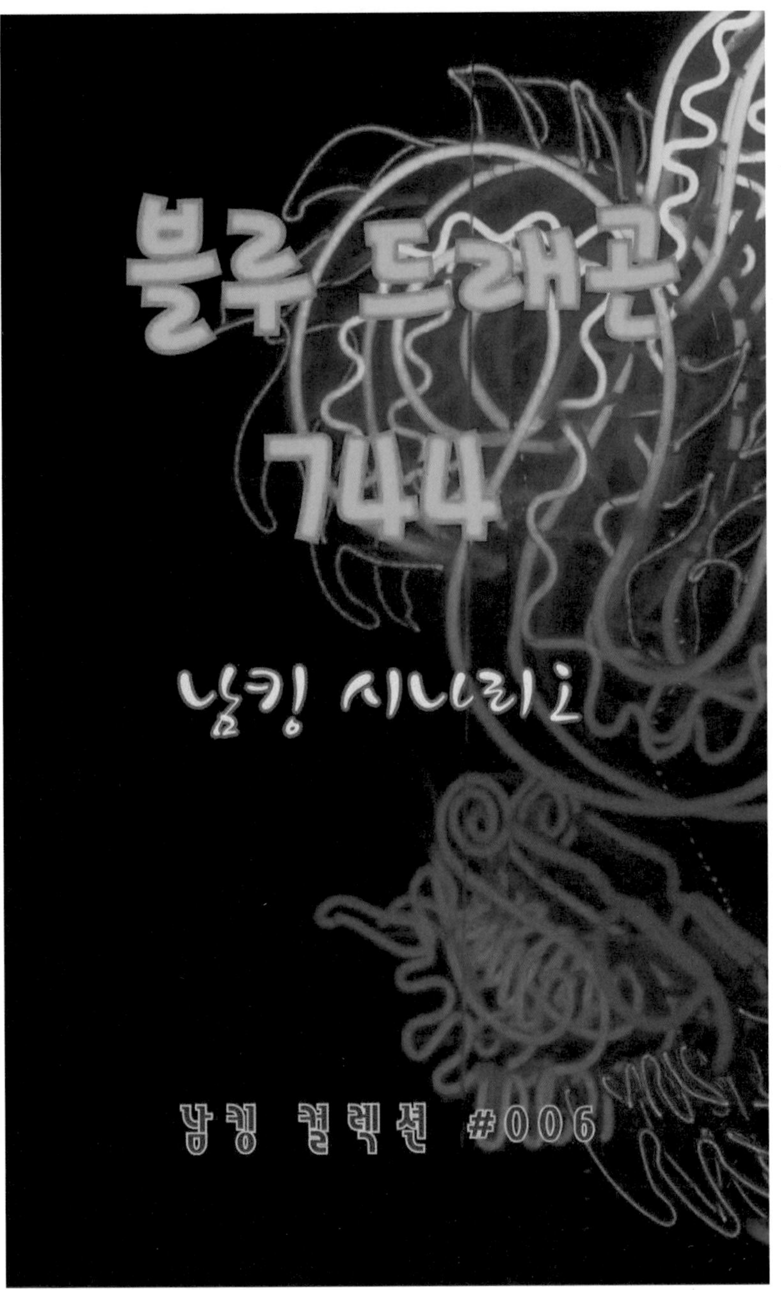
블루 드래곤
744
남킹 시나리오
남킹 컬렉션 #006

신의 땅 물의 꽃 #3

남궁 정희 판타지 소설

3. 수도원

답답해서 깼다. 나는 늘 그렇다. 언제나 좁고 위태롭고 추운 방에서 불안한 눈으로 세상을 맞이한다. 맞은편, 둥근 창을 반쯤 가린 커튼이 들락거리는 바람에 춤을 췄다. 하늘은 높고 구름이 산 정상에만 몰린 채 게으르게 움직였다. 천장의 작은 타원형 창으로 반짝이는 햇살이 건너와 실내를 밝히며 아주 천천히 아침을 속삭였다. 신발을 신고 구부정한 자세로 방을 겨우 빠져나왔다. 그리고 내 앞에 놓인 가파르고 어둠에 갇힌, 끝을 알 수 없는 계단을 조심스레 내려갔다. 한 발짝 한 발짝이 마치 찬 얼음 위를 걷는 것처럼 따가웠다.

지상에 다다르자 향긋한 냄새가 났다. 나는 주위를 두리번거리며 세상을 살펴보았다. 높은 산은 여전히 장막에 덮였다. 내가 서 있는 발밑으로, 낮은 곳에 펼쳐진 도시는 무정형의 곡선으로 끝 간 데 없이 이어졌다. 나는 허기를 느꼈다. 하지만 어디로 가야 할지 몰랐다. 내 주머니는 텅 비었고 내 짐은 잡동사니뿐이었다. 나는 내 앞에 펼쳐진 세 갈래의 길 중 그나마 쉽고 익숙하다고 느낀 길로 걷기 시작했다. 완만한 산과 낮은 집들이 이어졌다. 몸은 여전히 무겁고 가슴은 고통스럽게 뛰었다.

발의 통증이 참을 수 없는 지경이 되었을 때, 나는 높고 가파른 언덕에 우뚝 솟은 검은 수도원에 멈추었다. 여기가 <가르니에> 수도원이라는 사실이 편안했다. 나는 고아였다. 부모가 없는 어린이는,

서쪽, 동쪽, 남쪽, 북쪽, 다시 서쪽으로 이어지는 <순환의 인생>을 위한 재정적 지원을 받을 수 없으므로, 대부분 성인이 될 때까지, 서쪽 정령의 땅에 있는 수녀원에서, 선민의 자격을 받을 수 없는 평민으로 자랐다. 그러므로 늘 의식과 경전, 예절과 예법, 낮은 속삭임과 평화로운 노래 속에서, <평온한 숨>을 쉬는 것이 익숙하였다. 나는 철로 된 문을 톡톡 세 번 두드리고 나지막이 <하마르의 평화송>을 불렀다.

'수고로움에 지친 이들이여, 너의 앞은 따스함이 깃들고'

'버려짐이 없는 대지에, 무척 귀한 열매로 맺음이니'

'경배하고 속삭여라, 사랑으로 들뜬 당신의 고운 목소리'

'평화를 기원하고 높은 곳으로 눈 돌려 행복을 소원하니'

'그리운 이들이 낯선 추위를 두려워하지 않으며'

'어딘가에 놓인, 알알이 맺힌 보랏빛 포도송이에'

'누군가는….'

작은 얼굴을 한 소녀가 문을 빼꼼히 열고 미소를 보였다.

"저는 정령의 땅, <나스라딘> 수녀원 출신 나그네입니다. 여력이 된다면 잠시 숨을 돌리고 원장님을 알현하고자 합니다. 부디 헤아려 주시기를 바랍니다. 언제나 평화"

"늘 기쁨. 삶을 이는 해방의 기운이, 은자의 세상을 살피신 데, 하물며 미천한 벌레조차 그의 생을 목적하기 위한 도구와 양식은 늘 갖추는 법, 부디 당신의 아름다운 이야기를 들려주실 여유를 내어 주신다면, 소생은 이 수도원의 허드렛일을 하는 낮고 가벼운 자이지만, 경청하여 듣고 새겨서 보람으로 얼룩진 기록자의 길을 마칠 수 있을 것입니다. 두려운 경외." 그녀는 두 손바닥을 펼치고 살포시 들어 올리며 지긋한 눈길과 고운 목소리로 말했다.

"그럼, 이곳은 <글 씀을 이끄는 기록자>의 공간인가요? 낮은 보살핌."

"네, 그렇습니다. <세상의 지식>을 담당하는 수도원입니다. 저는 헬라스입니다. 영원한 아름다움."

"그렇다면? 헬라스님, 이곳은?"

"네, 추측하신 게 맞습니다. 모두 여자 수녀사들입니다. 이리로 따라오시기를 바랍니다. 우선 부족하지만, 아침을 제공하겠습니다. 늘 겸손함."

그녀는 두건을 벗고 손을 저어 두 번의 기도를 한 뒤, 눈빛을 찰랑거리며 겸손의 미소와 상냥한 발걸음으로 허기진 나그네를 식당으로 안내했다. 홀은 넓고 사람은 적었다. 배식을 담당하는 이는 낯선 이에게 고개를 세 번 저어 존경을 표하였다. 내가 식기와 수저를 가지고 다가가자 짙푸른 색의 알 수 없는 고기와 희멀건 죽을 담아주었다. 나는 식탁에 앉아, 예의를 담은, <생각과 사고의 청결함>을 수행하는 의식을 행하고 숟가락을 들었다. 음식 냄새는 좋았으나 그다지 먹고 싶은 생각이 들지는 않았다. 나는 한 숟가락의 죽으로 목을 적시고 좌중을 훑어봤다. 식사하는 자들은 누구도 수도복을 입지 않았다. 즉, 이 모든 이들이 방문자들인 셈이다. 그들의 행색은 초라하기 그지없었다. 씁쓸함이 몸에 번졌다. 하긴, 작금의 세상은 어딜 가나 파괴와 고통뿐이었다.

고귀한 왕위 계승과 1,000년간 이어진 평화는 흔적도 없이 사라졌다. 정의를 명목으로 내세운, 하지만 더러운 전쟁이 천년 왕국을 망쳤다. 신의 땅을 제외한, 대부분 도시가 부서지고 파괴되었다. 신들과 수도사들의 땅. 세상의 조용한 아침이 살포시 내려오는 햇살에 어우러진, 탐스러운 정신이 지배하는 이 땅이 이제, 마지막 남은 피난처가 되었다.

식사를 마칠 때쯤 헬라스가 나타났다. 그녀는 내게 하루의 일정이 담긴 표식을 주었다. 그곳에는 세계의 붉고 푸르고 노란색이 흐리게 빛을 냈는데, 표식의 상태와 이동의 경로, 방향과 시간을 나타냈다. 나는 첫날이므로 이 중 어떤 것을 선택해도 되고 안 해도 된다는 사실을 알고 있다. 즉, 아무 일도 안 하고 숙소에서 잠만 잘 수도 있다는 뜻이다. 하지만 나는 원장과의 대담이 마련되어 있는 노란 선을 택하고, 그에 합당한 준비를 하기 위하여 우선, 목욕탕으로 갔다. 그곳에서 나는 푸석거리는 옷가지를 모두 곱게 개어 세탁실로 향하는 선반에 올리고 잠시 기도의 변을 읊조렸다. 넓은 탕에 수온이 적당함을 알리는 푸른 알람이 울릴 때까지 기다린 나는, 다른 입욕 자들과 함께 바닥의 자갈을 밟으며 들어갔다. 10분씩 이어지는 각 방의 이동은 7번씩 모두 세 차례의 반복으로 끝을 맺었고, 나는 그동안 <자가배의 기도송>을 12번 낮은 목소리로 중얼거렸다.

목욕을 마친 자들이 모인 회당은, 아치형의 천장에 하늘이 훤히 비치는 옥빛 반구로 되어 있으며, 일정한 간격으로 기도를 흥얼거릴 수 있는 배경 음이 흘러, 사방에 반향을 이루고 있었다. 나는 가운을 걸치고 나무 침대에 누워 이맛살을 찌푸리게 만드는 햇살을 감탄으로 쳐다봤다. 왜냐하면 내가 거쳐온 지역과 국경, 그 대지와 지평은 온건한 연기와 흙바람으로, 처절하게 부서진 건물더미를 검은 회색의 하늘 아래 흩뿌려놓고 있을 뿐이었다. 그리므로 햇빛을 푸르고 투명하게 그리는 순간은 어느 모로 보나 즐거운 일이었다. 하지만 나는 늘 잠을 잘 자지 못했으므로 그 피곤함이, 몸속을 마치 쇳덩이로 짓누르는 아픔에 살았다. 그래서 나는 머리가 침대에 닿자마자 잠시의 고민을 내뱉을 새도 없이 그만 잠들고 말았다.

경고음이 손의 진동으로 느꼈을 때 나는 잠에서 깼다. 혼란스러운 꿈이 아직도 나를 누르고 있었다. 늘 이 순간은 답답했다. 나는 작은 액정에 표시된 숫자를 보았다. 12. 원장과의 면담 시간이었다. 나는 서둘러 세탁한 옷을 찾아 입고 깊은숨을 들이쉬고, 마음의 짐을 내려놓은 채, 회당 안내자의 길을 따라 좁은 복도를 지나 그녀를 알현했다.

원장은 중년의 모습으로 단아했다. 그녀는 꼿꼿한 자세와 우아한 미소를 머금고 하릴없는 방문자의 소소한 이야기까지 세상에 남길 준비를 하고 있었다.

"안녕하십니까? 여독은 충분히 푸셨나요? 수행자님. 끝없는 사랑."

"네, 저는 <세르게이 세브르자>입니다. 흔히 <세자>라고 불립니다. 출생은 정령의 땅 서쪽 끝 <햇살의 검은 언덕>으로 알려진 곳입니다. 흔히 노년과 죽음을 관장하지만, 버려진 자들이나 고아들의 삶의 터전이 또한 그곳이므로, 생명의 처음과 끝이 공존하는 곳이라고 할 수 있을 것입니다. 지혜로운 묵상"

"반갑습니다. 세자님. 저는 지식과 진리의 기록으로 신성의 다가

섬을 수행하는 가르니에 수도원 원장 아난다입니다. 그곳에도 여전히 전쟁 중인가요? 서글픈 탐욕."

"전쟁의 처음이었으므로, 지금은 끝을 맺었습니다. 하지만 지나치게 많은 것들이 파괴되었고 여전히 파더스 가문의 통치하에 놓여있습니다. 즉, 비극과 고통이 만연하는 세상이 되었습니다. 비참한 탄식."

"여전히 오늘도 슬픔의 소식이 만연합니다. 불쌍한 세자님. 오늘도 앞선 이들의 사연 모두 희망보다는 절망이, 기쁨보다는 슬픔이, 행복보다는 고통이 만연한 세상을 제게 던져주고 갔습니다. 우울한 심연."

"죄송합니다. 서글픈 원장님. 저 또한, 마음과 정신, 육체와 관계가 모두 망가진 상태로 신의 땅 국경을 넘었습니다. 그러나 신이 깃든 곳이지만, 언제까지나 전쟁의 화마에서 온당하게 피할 수 없다는 점을 익히 알고 있습니다. 제가 그저 드릴 수 있는 작은 정성이라고는, 세상의 평화가 다시 펴지는 날까지 기도하고 수행하는 도리밖에는 없다는 사실을 잘 알고 있습니다. 하지만…." 나는 잠시 말을 멈추고 숨을 골랐다. 나는 알고 있다. 기록자의 회당에서는, 무엇이든 뱉는 말은 어딘가에 기록이 남고 수습이 불가하며, 무거운 책임을 수반할 수도 있다는 사실을…. 나는 지금까지 겁쟁이로, 비천한 몸 하나 겨우 건사하며 버텨왔으니, 몸이 움찔하고 가슴이 졸아들었다.

"하지만? 세자님. 이곳은 무슨 말이든 포용하고 용서하고 따스함을 제공하는 곳입니다. 그러므로 조급하거나 불안을 느낄 필요가 없습니다. 편안히 속을 털어놓으시기를 바랍니다. 지속적인 희망." 그녀는 이미 나를 관통하고 있었다. 관용의 미소가 나를 다시 편안함으로 이끌었다.

"네, 그럼, 저는 이제 제 이야기를 감히, 한 올의 거짓됨이 없이 전하고자 합니다. 제가 18세가 되던 그해의 봄은, 1,000년 왕조의 평화와 기쁨이 온 누리를 살찌우던 때였습니다. 현제(玄帝)의 왕, 세푸르님은, 어느 날 한 농부의 딸인 나탈리아가 쓴 편지를 받게 되었는데, 그 내용이 불경스럽기 짝이 없는 예언으로 가득하였습니다. 왕조의 멸망뿐만 아니라 살아 있는 모든 백성이 죽어가는 내용이었습니다. 그러므로 왕과 대신은 대노(大怒)할 수밖에 없었습니다. 그 사실의 여부를 따지기도 전에, 그녀와 그녀의 가족 모두를 불러 문초를 하고 귀양을 보냈습니다. 제가 그녀를 만난 건 바로 그때입니다. 저는 15세부터 죄수와 범죄자들이 집단으로 모여 사는 귀양 촌에서 갖가지 일을 하며 제 용돈을 벌곤 하였습니다."

"그럼, 결국 그 예언이 모두 사실이었다는 거군요? 불안한 미래."

"네, 그렇습니다. 아난다 원장님. 비록 불분명한 어휘와 묘사, 암시가 덮여 그 내용의 정확한 의미를 꽤 뚫는 데는 큰 노력과 정성이 필요하지만, 지금의 상황을 놓고 보면 분명 그때, 그 예언을 좀 더 살펴보고 숙고하지 않은 게 가장 큰 불찰이라고 느껴집니다. 아쉬운 후회."

"당신은 나탈리아와 친구가 되었군요? 거룩한 우정."

"네, 그렇습니다. 그녀는 저처럼, 가족의 유일한 자식이었으며, 유일하게 글을 배우고 지식을 탐닉하는 여인이었습니다. 게다가 외톨이였습니다. 우리는 처음부터 서로를 알아봤습니다. 끌림이 한동안 이어졌고, 결국 사랑이 찾아왔습니다. 황홀한 기쁨."

"그럼, 나탈리아는 예언가인가요? 무한한 지식." 원장은 궁금함을 참지 못하는 어린아이처럼 조급한 표정으로 물었다.

"아닙니다. 예언자는 나탈리아의 아버지 니콜라스입니다. 그녀는 그저 기록자에 불과합니다. 그리고 저는 그 기록을 공유하는 유일한 사람이었습니다. 나탈리아는 글쓰기를 좋아했고 저는 글 읽기를 즐겼습니다. 그녀의 일기에 아버지의 예언이 종종 실리곤 하였습니다. 우리의 사랑은 3년을 채웠습니다. 하지만 곧 나탈리아의 가족은 흔적도 없이 사라졌습니다. 저는 그녀를 애타게 찾았습니다. 하지만 그녀는 저에게 가끔, 발신자 불명의 편지를 보낼 뿐이었습니다. 그리고 저는 이듬해, 어느 외딴 섬에 있는 연구소에 취업하였습니다. 그곳에서 <쉐임 박사>의 AI 초기 개발팀에 합류하였습니다. 그리고 10년 뒤, 정령의 땅에서 <왕자 시해 사건>이 발생하면서, 흔히 우리가 일컫는, <파더스의 난>이 발발했습니다. 모두 편지에 적힌 예언 그대로였습니다. 시해 사건이 난 지역은, 제가 사는 곳에서 멀지 않은 곳이었고, 분쟁은 참혹함을 뛰어넘어 저주스러운 형벌이었습니다. 제 시야에 들어오는 모든 것은 도저히 어제의 그것이 아니었습니다. 철저히 파괴되고 사라졌습니다. 저는 그때부터 세상을 돌아다니기 시작했습니다. 저는 제 여인을 안전한 곳으로 인도할 책무가 있습니다. 하지만 나탈리아는 사랑보다 더 소중한 운명을 받아들였습니다. 예언의 해석과 실천, 종국에는 이 비극을 마무리할 책무 말입니다. 우리는 운명적으로 다시 만났지만, 곧 그녀는 제 곁을 떠났습니다. 그리고 지금까지 어느 곳에서도 그녀의 그림자조차 찾을 수 없었습니다. 서글픈 그리움."

"무척 안됐습니다. 세자님. 당신이 의당 누려야 할 사랑의 기쁨을, 다시 회복하기를 진심으로 기도합니다. 지극한 정성."

"감사합니다. 원장님. 세상의 처음과 마지막을 주관하고, 미천한 인간의 육신을 고귀한 정신으로 깨닫게 한, 신의 가호가 만물에 미치기를 소원합니다. 간절한 기도."

"당신의 뜻대로…. 주관을 살피시고…. 당신의 사랑으로…. 부디 가엾게 여기소서…." 원장은 잠시 눈을 감은 채, <속세의 간청>을 중얼거렸다. 나는 그녀의 기도가 끝나기를 살피며 고른 숨을 쉬었다.

"세자님, 예언가로 알려진 나탈리아의 아버지 니콜라스에 대하여 저에게 하실 말씀이 있는가요? 궁금한 진실." 살포시 눈을 뜬 원장은 부드러운 눈길로 나를 응시하며, 슬픈 미소를 머금으며 물었다.

"네, 저는 제가 듣고 읽고 본 대로 제 기억을 장식한 이야기를 원장님께 기꺼이 말씀드리겠습니다. 하지만 니콜라스에 앞서 저는 <파더스 가문>과 <로터스 가문>의 관계를 우선 이야기하고자 합니다. 이는 무엇보다, 이번 전쟁의 원흉이자 여전히 세상을 불구덩이로 밀어 넣고 있는 파더스 가문과 이를 막고자 <사피엔티아>라는 비밀조직을 결사하여 격렬하게 저항하는 로터스 가문이 실은 같은 뿌리이며, <가우타 로터스>로 알려진 저항 세력의 지도자와 제 연인 나탈리아의 만남이, 예언대로 이루어졌으며, 이것이 지니는 역사적 의미를 반증하기 위함입니다. 거룩한 예언."

파벨 예언서
떠오르는 위협
남킹 장편소설
남킹 컬렉션 #008

리셋
Reset
남킹 SF 소설집
남킹 컬렉션 #010

거짓과 상상 혹은 죄와 벌 #01

프롤로그

꿈인지 생시인지 모를 만큼 들려오는 벨 소리에 눈을 뜬 건 새벽이었다. 대문을 벌컥 열자 두 사람이 낯선 표정으로 나를 맞았다. 싱그러운 어둠은 짙은 침묵에 누웠고, 나는 그다지 내키지는 않았지만, 그들이 누구인지를 짐작할 수 있는 작은 성의를 보였다.
혹시 형사님?
그게 통한 것 같다. 그들은 수그러진 태세와 정다운 말씨를 전달했다.
네, 짐작하신 대로입니다.
올 것이 온 것이다. 그래, 이런 날이 결국은 오게 되어있다. 그리고 그날이 오늘일 뿐이다. 죽음처럼.
한 가닥 쓸려오는 한기에 나는 몸을 한번 부르르 흔들며 괜히 과한 표정을 지었다. 하지만 그들의 응답은 간단했다.
서로 가시죠
나는 수갑을 차고 구멍 난 양말을 급하게 신고 신에 발을 담근 채 그들이 이끄는 나락으로 침착하게 동조했다. 밤은 어둑한 계단을 수식했고 낮의 따스함을 품었다. 딱딱한 형사의 뒷모습은 내가 보낸 지난날들이 누군가에게는 불편하고 힘들 수도 있었다는 자책감을 선사하기도 하였다.
쉐보레 차에 올라탄 뒤, 누군가는 운전석에 누군가는 뒷자리에 나를 처다보며 불쑥 들어왔다. 그는 남자에게서는 찾아볼 수 없는 야릇한 향을 내 콧구멍 바닥에 침울하게 깔기 시작했다. 창은 약간 열려있고 히터는 꺼졌다. 차는 도로를 달리고 별은 차를 따라왔다. 형사는 눈을 감고 사색에 잠겼다. 그는 이런 일이 그다지 낭만적이지도 않으며 그다지 내키지도 않는 자신의 숙명을 되새김질하는, 평범하지만 그다지 세속적이지도 않은 내면에 집중한 것처럼 보였다. 나는 어둔한 갈색의 구름이 펼쳐진 빌딩 숲 사이 네온사인에 시선을 고정하였다.

****

도시는 꽤 넓으나 경찰서는 가까이에 있었다. 문제는 미어터진 주차장이다. 징글징글하게 차들이 얽혀있다. 형사 입이 더러워졌다.
어떤 놈 새끼가 경찰서 지정 주차장에 파킹하는거야!
결국 멀찌감치 떨어진 곳에 하차했다. 좁은 골목이 두 갈래로 벌어지고 아물고 다물어진 곳에 능수버들이 흐느적거리는 골목으로 들어서자 형사는 내게 물었다.
배는 안 고프죠?
나는 고프다고 했다. 늘 형사가 시켜주는 국밥은 맛있다고 생각했다. 좁은 지하 복도를 지났다. 붉은 커피 자판기가 나왔다. 방은 작고 초라했다. 천장은 하얗다. 내가 앉은 의자는 소복한 에메랄드빛을 발했다. 그들이 번갈아 가며 나를 훑었다. 그리고 흩어졌다. 조금 뒤 한 사람이 들어왔다. TV에서 보는 형사와 비슷했다.
나는 그다지 흥미를 느낄만한 게 없는 상황이라 상상의 메아리를 주워 담고 있었다. 그는 침울한 눈과 황망하게 어둡고 무서운 아우라를 풍기려고 하였다. 나는 직업병이라고 단정했다. 나는 그를 보며 그의 뒷 면에 붙은, 전체를 아우르는 유리 너머 인간의 표정과 모습이 궁금하였다. 그들은 종이컵에 담긴 커피를 홀짝이며 내 진술의 참과 거짓을 밝혀내는 그들만의 독특한 의식을 시작함에 흥분을 느낄 것이다. 나를 심문하는 형사는 눈을 한번, 두 번, 세 번 마주치고 나서야 말문을 조심스레 열었다.

이름과 나이?

그는 나보다 젊었다. 확실하다. 그리고 첫 마디가 반말인지 아닌지 모를 애매한 질문을 던졌다. 나는 순간적으로 그의 이런 태도가 지니는 속성, 무의미함과 저속함을 지적하고 싶었다.

뭐라고?

그래 이건 나의 대답이다. 하고 보니 참말로 좋은 답변이었다. 나는 당신의 오만함과 치기 어린 담대함으로 인해 상처받을 수 있으므로, 더 이상 협조할 수 없다고 속으로 크게 외쳤다. 의자가 당겨지고 조명이 변함없이 멈춘 공기에 닿아 선명했다. 늘 그렇듯, 이러한 상황에서 본능적으로 나는 형세를 내게 유리한 쪽으로 미화하기 시작했다.

이름과 나이가 뭔가요?

아! 이 얼마나 정다운 올림말이냐? 그래! 너는 내가 바란 그대로의 모습과 형태로 바뀐 자세로 나를 대할 것이다.

송의저, 39살.

나는 협조하기로 결심했다. 그는 저급한 형사가 아니다. 강압적이지도 않고 숨죽일 만큼 긴장을 유발하지도 않아 보였다. 그런 점에서 나는 한숨 돌리며 과거 유년 시절의 심문 현장과 비교하며 천천히 주위를 둘러봤다.

****

휑휑한 바람이 불던, 그때 내가 보듬은 나이는 열세 살. 나는 대지의 바람이 해풍으로 쏟아지는 중소도시의 해안가에 있는 나지막한 움막과 같은 소년원에 거주했다. 무엇이든 반항이 늘 순간적으로 튀어나와 나는 뜻하지 않은 낭패와 패배감을 온통 뒤집어쓴 상태로 살았다. 그리고 나는 갑자기 소실되지 않을까 하는 두려움으로 늘 가슴이 크게 뛰었는데, 후에 철학을 공부하게 된 계기가 되었다. 그래서 나는 아무것도 아닌 나에 대한 미련이 그다지 남아 있지는 않았다.

나는 소년원에서 사 년을 견뎠다. 출소 후 내가 보낸 시간이 나는 대견하다고 느꼈다. 가끔 성당 같은 곳에서 감사의 시간을 갖기도 하였다. 나는 그곳에서 내면의 침착함과 도도함이 우러나는 미소와 매력적인 태도와 친절한 가슴을 나타내는 법을 배웠다. 그리고 이것은 나의 원초적 욕망, 즉 여자에 대한 탐닉을 만족으로 이끄는 원동력이었다. 그러나 그렇다고 해서 내가 누군가를 구타하고, 학교 옥상 난간에 그를 매단 채 담뱃불로 지지고, 두 번 다시 나를 건드리지 못하게 다리뼈를 다섯 조각으로 부숴버린 나의 이상한 취향을 덮을 수 있을 정도의 강력한 힘은 아니었다. 그렇지 않았다면 내가 여기에 끌려올 이유가 없었을 테니까.

2018년에 당신은 어디 있었죠?

유럽입니다.

유럽 어디인가요?

독일입니다.

왜 갔나요?

직장 때문입니다. 구매대행 회사입니다.

혼자 갔나요?

네, 저는 늘 혼자입니다.

그래서 여자를 만났군요?

네.

그럼, 거기서부터 당신의 이야기를 들려주시죠.

네, 형사님.

내가 막 나의 이야기를 하려고 할 참에 국밥이 나왔다. 나는 향긋한 냄새에 입맛을 다셨다.

남킹 컬렉션 #002

거짓과 상상 혹은 죄와 벌

남킹 장편소설

거짓과 상상 혹은 죄와 벌 #02

제나 (Zena)

모든 것의 시작은, 그녀가 내게 보내는 이상한 사진들에서부터였다. 하지만 그것이 나를 귀찮게 하거나, 아프게 하거나 아니면 숙연한 외면으로 이끄는 안내자가 되는 것은 아니었다. 오히려 이러한 상황에 집착하게 되었다. 그러므로 나는 이 삶에 대한 고통을 잊을 수 있는 방편과 육체적 쾌락에 대한 소박한 희망을 지닐 수 있는 저력이 생겼다. 나에게는 어쩌면 다행일지도 모른다고 생각했다. 간악한 생각은 차치하고서라도 말이다.
그녀의 사진은 온통 벗은 모습이었다. 물론 예술적인 취향과 멋진 조도를 애써 살피고, 적절한 배경을 일부러 살핀 흔적이, 그녀의 사진 곳곳을 심미적 성숙으로 수식하였다. 하지만 이 사진들의 본질은 다분히 본능적 충동과 미묘한 성적 회유라고밖에 말할 수 없는 것들이었다. 하지만 누가 이런 작품을 마다하겠는가. 어쩌면 모든 게 이것에서 비롯된 것. 생명체의 목적을 살펴보면, 그러한 태도에서 벗어나지 않은 것들이 과연 몇 개나 있을 수 있단 말인가. 그러므로 나는 즐기고, 그녀도 좋아하므로 해서 우리는 은연중에 동의하게 되었다.

하루는, 그녀가 내게 오겠다고 하였다. 그녀의 직업은, 지정된 지역을 돌며, 회원 식당의 위생 상태를 점검하고 개선 리포트를 마련하는 거였다. 그녀의 말을 빌자면, 그저 한가롭기 짝이 없는 괜찮은 직업이었다. 물론 아주 예외적으로 스트레스를 받는 점이 있긴 있었다. 그녀가 미처 찾지 못한 지적 사항을 당국이 발견하여, 그녀의 평가

점수에 좋지 않은 영향을 반영할 때였다. 하지만 그런 일은 거의 없으며, 설령 그러한 일이 있다고 해서 해고되거나 감봉당하는 일은 없었다. 이 나라는 소문대로 직장인의 천국이었다. 그녀는 마에스타 과정을 졸업하고 줄곧 이 일을 하였다. 게다가 그녀는 여행을 좋아하고, 기차를 즐기며 자동차에서 바라보는 하늘과 평야를 찬미하였다. 그리고 장시간 운전함으로써 생기는 몸 상태에 대해서도 그다지 신경을 쓰지 않을 정도로 건강하였다. 그러므로 제나는 오랫동안 이 직업을 간직하고 싶어 했다. 그녀는 매달, 내가 머무는 곳에서 불과 4.6km밖에 떨어지지 않은 도시의 식당을 방문하였다.

그녀가 나를 찾은 날에 비가 내렸다. 이곳은 비가 내리지 않는 날이 드물어서, 나는 그러려니 했다. 나는 하늘과 땅을 줄곧 응시하며 걸었다. 빗방울이 그저 굵어지지 않기 만을 바라는 심정으로 마중을 나갔다. 제나와 첫 번째 만남. 그녀는 대뜸 서류 가방을 내게 맡겼다. 그리고 조용하고 소박한 미소를 잠시 짓다가 이윽고 결심한 듯, 내게 키스하였다. 나는 그녀를 안았다. 내가 추측하였던 것만큼이었다. 그녀는 손을 제외한 모든 곳에 물풍선을 집어넣은 듯한 탱글탱글한 촉감이, 마치 러브돌이라고 착각이 들 만큼 내밀하게 끌어당겼다. 몸이 즉각 반응하였다. 나는 엉덩이를 조금 뺐다. 그녀의 이가 네게 딱하며 부딪쳤는데, 그러자 그녀는 포옹을 풀고 배시시 웃으며, 백에서 작은 거울을 꺼내 이빨을 비추었다. 지나치게 하얀 이.

일은 어땠어?

나는 그저, 뭘 하나 물어봐야 할 것 같아서 형식적인 질문을 하였다. 물론 그녀도 나의 질문이 주는 의미에 무신경하였으므로, 그저 형식적인 답변이 돌아왔다.

응, 괜찮았어. 뭐, 항상 그렇지만. 너는 어때?

나? 나야 좋지. 나도 뭐 늘 그렇지.

비가 안개처럼 내렸다. 하늘의 절반은 이미 구름이 사라졌다. 텅 빈 곳으로 하얀 줄이 여러 개 났다. 그 순간, 한 가지 특이한 일이 기억났다. 내가 트럭을 몰고 프랑크푸르트 공항 근처 고속도로를 달리다 보면, 지나가는 항공기가 이상하게 크게 보이는 구간이 있다. 가끔 유튜브나 틱톡에도 영상이 올라왔다. 나는 한 번씩 그런 상황을 마주하면, 휴대폰을 창에 고정하고 영상을 촬영하곤 하였다. 그리고 그날, 내가 찍은 동영상을 살펴보다 느낀 건데, 왠지 낯이 익은 항공기였다. 자세히 들여다보니, 당일 이 비행기는 알프스의 어느 높은 산에 추락한 거였다. 사고 원인에 대한 추측이 만무하였지만 - 당연하게도 항공기 사고는 늘 세간의 높은 관심을 불러일으키니까 - 최종 결론은, 내가 그 사건을 잊을 만할 때 뉴스에 나왔다. 부기장의 자살 비행. 나는 그 동영상이 그 여객기의 마지막 모습이었다는 사실에서, 우연 이상의 의미를 두려고 하였다.

이처럼 큰 사건의 목격을, 순간처럼 사라질 내 인생에서 하게 될 줄은 미처 몰랐기 때문이었다. 게다가 그날, 나는 그다지 영상을 찍고 싶은 생각이 없었다. 운전대를 잡을 때부터, 나는 <Kwoon>의 <Ayron Norya>에 푹 빠져, 줄곧 반복적으로 듣고 있었다. 그런데 제나에게서 메시지가 왔다. 나는 촬영 직전에 더러운 고속도로 휴게소 화장실에서 그녀의 자위 영상을 보았다. 무척 야하고 만족스러웠다. 나는 흥분했다. 그녀에게 뭔가를 던져 주어야겠다는 생각에 사로잡혀, 때마침 그 비행기가 내 앞의 창에 크게 다가오는 것을 놓치지 않았다.

너에게 예전에 보낸 비행기 동영상 기억나?

그녀는 벌써 잊은 듯, 어쩌면 보지 않을 수도 있었으므로, 약간 무안한 표정으로 나를 봤다.

잘 기억나지 않아. 왜?

응, 내가 보낸 그 비행기가 그날 추락했어. 미안해. 느닷없이 그 생각이 났어. 부기장이 자살 비행을 했거든.

그래?

그녀는 갑자기 벗어진 이 상황이 못내 흥미로운지, 휴대폰을 뒤지기 시작했다. 제나는 화면에 손가락을 꽤 여러번 위아래로 스크롤 한 뒤, 겨우 찾아냈다. 잠시 화면을 보는 듯하더니 내게 물었다.

이거 방송국에 보냈으면 돈 좀 받지 않았을까?

정말? 그렇게 생각해?

그럼, 마지막 비행 모습이잖아. 누가 이런 행운을 잡겠어.

그러게. 그 생각은 미처 못했네.

하지만 어쩔 수 없어. 지금은 너무 늦었으니까.

아쉽네, 그런 공돈이 생겼다면, 우리 오늘 무척 고급스러운 식당에 갈 수도 있었을 텐데.

그건 걱정 안 해도 돼. 나는 오늘 이미 이 도시에서 가장 빛나고 우아하고 사치스러운 식당의 주방을 샅샅이 뒤지고 왔으니까.

그래, 뭐라도 건진 거야?

주방은 무척 깨끗했어. 내 손수건보다 하얗더구먼. 그런데 한가지가 우리 모두를 무척 당혹스럽게 만들었지.

뭔가 나왔구나?

응, 쥐가 나왔어.

와! 그건 사건인데.

그런데 더욱 놀라운 건, 옥상에 있는 물탱크에서 나왔다는 거야.

남킹 컬렉션 #001
그레고리 홀라디의 묘한 죽음
남킹 컬렉션 #002
거짓과 상상 혹은 죄와 벌
거짓과 상상 혹은 죄와 벌
남킹 장편소설
남킹 컬렉션 #002
거짓과 상상 혹은 죄와 벌
남킹 장편소설

남킹 판타지 소설집

하니은 매화

남킹 컬렉션 #015

거짓과 상상 혹은 죄와 벌 #03

제나 (Zena)

맙소사!

그래, 그거야! 어머나! 그 쥐가 언제부터 물탱크에 빠져 있었는지는 모르지만, 아무튼 대형 사고인 것만은 확실하지. 만약 SNS에 그 장면이 실렸다면, 그 식당은 문을 닫는 정도로 끝나지 않을 거야. 틀림없이 줄소송이 이어지겠지. 왜냐하면 그 식당의 단골 중에는 꽤 힘 있는 사람들이 많거든.

그런데 어떻게 찾은 거야? 원래 물탱크도 조사하고 그러는 거야?

아니, 전혀. 지금까지 한 번도 물탱크를 조사한 적은 없었어.

그런데 왜 한 거야?

순전히 넷플릭스 때문이야.

넷플릭스?

응, 전날 호텔에서 다큐멘터리를 봤거든. 그냥 보고 싶어 본 것도 아니고, 나와 같이 있던 녀석이 다큐멘터리 광이었거든.

무슨 내용인데?

제목도 잘 기억이 안 나. 뭐, 대충 내용이 이런 거야. 조현병을 앓고 있는 한 여대생이 미국 여행하다가 어떤 호텔에서 실종이 되었어. 며칠 뒤, 물탱크에서 그녀는 벗은 채 시신으로 발견되었고. 경찰이 그녀의 CCTV 일부를 공개했어. 그 장면이 무척 인상적이었지. 소름 끼치기도 하고. 그녀는 엘리베이터에서 누군가에 말을 하고 거부하고 버튼을 누르는 장난을 치기고 하고 얼굴을 문밖으로 내밀기도 하는 거야. 그런데 그 엘리베이터에는 오직 그녀뿐이었어. 아무도 없지. 오직 그녀만 보이는 누군가에게 뭐라고 말하고 있는 거야. 그런데 더욱 놀라운 점이 뭔지 알아?

뭔데? 나는 마치 비밀 첩보원처럼 속삭였다.

그 호텔이 이상해. 그곳에서 수십 명의 사람이 지난 10년 동안 죽어나갔지. 이유는 다양해. 우선 그 호텔의 위치야. 호텔 주변은 그야말로 노숙자의 천국이더구먼. 그러니 그 호텔에 투숙하는 이들은 정상은 아니겠지. 아니면 그 호텔에 대해서 전혀 모르는 외국인이 투숙하던가. 왜냐하면 호텔 홈페이지 사진을 보면 정말이지 기가 막히게 좋거든. 마치 중세시대 귀족의 성을 보는 듯한 착각이 들 정도야.

그럼 너는 그 식당에서 전날 본 다큐멘터리에 이끌려 물탱크를 보게 된 거구먼?

그렇지. 그게 문제야. 내가 물탱크의 뚜껑을 열 때까지만 해도 모든 게 완벽했거든. 식당 주인과 주방장은 대단한 자부심으로, 내가 하는 모든 검사에 대해서 적극적으로 응했거든. 그러므로 그 뚜껑을 연 게, 어찌 보면 우리 모두의 운명을 두려움으로 만드는 계기가 된 것인지도 모르겠어.

그럼 너는 너의 행동을 후회하는 거야?

지금은 후회해. 하지만 후회하지 않는다고 쳐도 그 사실을 받아들이기에 나는 너무 오싹한 기분을 느꼈지.
그래서 사후 처리는 어떻게 한 거야?
나는 돈을 받았어. 이건 비밀이야. 절대로 누구에게도 발설하면 안 되는 거야. 이 비밀은 나와 너, 그 식당 주인과 주방장. 이렇게 4명만 알고 있는 거야.
그거, 그러니까. 내가 알아도 되는 거야? 이 사실. 내가 누군가에게 발설하지 않는다는 신념을 너는 가진 거야?

뭐, 사실 그런 확신은 없어. 우리는 오늘 처음 만났잖아. 단지, 나는 누군가에게 말하지 않으면 안 될 정도로 입이 간지러울 뿐이야. 그리고 그 순간, 너를 만난 것뿐이고. 그러니 제발 부탁이야. 오늘 나는 너에게 기분 좋은 선물을 안겨줄 거야. 왜냐하면 그들이 쥐여준 돈은 나의 한 해 봉급보다 많아. 바로 이런 게 행운이라는 거지. 왜냐하면 누구도 이 사실을 발설하지는 못할 테니까. 설령 하더라도 누가 알겠어. 이미 쥐는 끄집어냈고 물통은 깨끗이 비웠으니까. 단지 내가 찍은 사진이 다였지. 그리고 물론 나는 그 사진을 그들이 보는 앞에서 깨끗이 지웠지. 두툼한 돈 봉투를 지갑에 넣으면서 말이야.
하지만 혹시 해서 물어보는 건데. 양심에 찔리거나 그러지는 않아?

당연히 양심에 찔리지. 하지만 나는 이렇게 생각해. 불쌍하고 가난하고 고통받는 이들이 그 식당을 찾지는 않거든. 그곳 단골손님은, 무척 많은 돈을 벌거나 대단한 권력을 간직하거나 얼굴이 여러 사람에게 알려져 자긍심이 대단한 사람들이 대부분이거든. 그들에게는 좀 위해가 되는 뭔가를 해도 돼. 난 그렇게 생각해. 그들에게는 좀 가혹해도 된다고 느껴. 무슨 말인지 알겠지?

응, 알겠어. 그런데 그 여자는 누가 죽인 거야?

누구? 그 다큐멘터리 여자?

응.

내야, 모르지. 결론이 명확하게 나지 않았거든. 그냥 음모만 무성해. 하지만 그들은 자살로 보고 있어.

너도 그렇게 생각하는 거야?

나? 나는 아냐. 나는 누군가에게 살해되었다고 봐. 왜냐하면 이상하고 만만한 여자를 보면 남자들은 우선 겁탈부터 하려고 들거든.

그 남자들에 나도 포함되는 거야?

뭐, 글쎄, 내가 보기에 너는 아닌 것 같아.

왜 나는 아냐?

너는 내게 이상한 영상을 요구한 적이 한 번도 없잖아.

하지만 나의 내면에도 변태의 자격은 갖추고 있어. 단지 그게 끔찍하다고 느낄 뿐이지만.

그러니까 너는 아니라는 거지. 바보야!

흐린 하늘이 맑았다, 다시 구름이 잔뜩 끼기를 반복했다. 우수수한 빗방울이 비스듬히 내리는 공간 사이로, 그녀와 나는 끝없이 걸었다. 종잡을 수 없는 도시의 바람이 발밑을 간지럽히고 우산 끝을 휘게 했다. 나는 그녀의 푸른 눈에 물방울이 들어가는 모습을 보며 걸음을 멈추었다. 그리고 혀끝으로 그녀의 눈 가장자리를 훔쳤다. 그리고 다시 키스했다. 우리는 많은 차가 동서남북으로 느리게 지나가는 도로 옆 인도에 서서 꽤 오랫동안 서로의 혀를 핥았다.

그럼, 너는 누가 범인이라고 추정하는 거야?

범인은 웨이터야. 단언하건대.

왜?

최초의 발견자거든. 이전에 물탱크의 뚜껑을 열어본 사람들은 한결같이 아무것도 발견하지 못했지. 경찰도 관리자도. 무슨 이유에서인지는 몰라. 그런데 그 녀석이 나중에 다시 연 거야.

그건 좀 이상한데. 그가 범인이라면 자기가 죽인 여자를 굳이 남들에게 보여주고 싶을까?

그건 그렇지. 당연히 숨기겠지. 하지만 물탱크야. 물통에 시체가 있다는 사실을 모르는 사람은 맛있게 물을 마시겠지. 하지만 녀석은 아니지. 너 같으면 물통에 시신이 있는 물을 마실 수 있겠어?

웨이터가 물을 안 먹을 수는 없는 거야?
당연하지. 그 물탱크에서 모든 물이 나오니까. 녀석이 외부에서 물을 가져오지 않는 한. 설령 물을 가져왔다고 하더라고 그가 먹는 음식에는 당연히 그 물이 쓰일 수밖에 없는 거지. 즉, 녀석은 사람들이 물통을 뒤졌는데도 시체를 발견하지 못하자 답답한 거지. 빨리 물통을 비우기를 바란 거야.

와! 대단하다! 우리 제나!
그녀와 나는 기분 좋게 무거운 하늘을 벗 삼아 도로를 건너고 강 옆을 벗어나 낭만과 사치가 흘러내리는 레스토랑으로 들어갔다. 그녀는 익숙하게 메뉴의 처음부터 끝까지 모든 리스트를 꼼꼼히 읽고 나서, 내게 묻지도 않고 웨이터를 불러 음식을 주문했다.
가장 비싼 것만 주문했어. 오늘은 행운이 깃든 날이니까.

잠시 후, 포도주가 웨이터의 품에 아기처럼 누워서 왔다. 그는 조심스레 아기 얼굴을 제나에게 보였다. 그녀가 고개를 끄덕이자 그는 익숙하게 와인 뚜껑을 비틀어 땄다. 목에서 하얀 연기가 흐느적거리며 나타났다. 나는 그때, 어두운 물통에서 눈을 부릅뜬 채, 창백한 얼굴을 내미는 죽은 여자를 떠올렸다. 웨이터는, 제나의 엉덩이보다 더 볼록한 유리잔에 붉은 피를 짜냈다.

와인 잔 바닥이 피로 흥건했다.

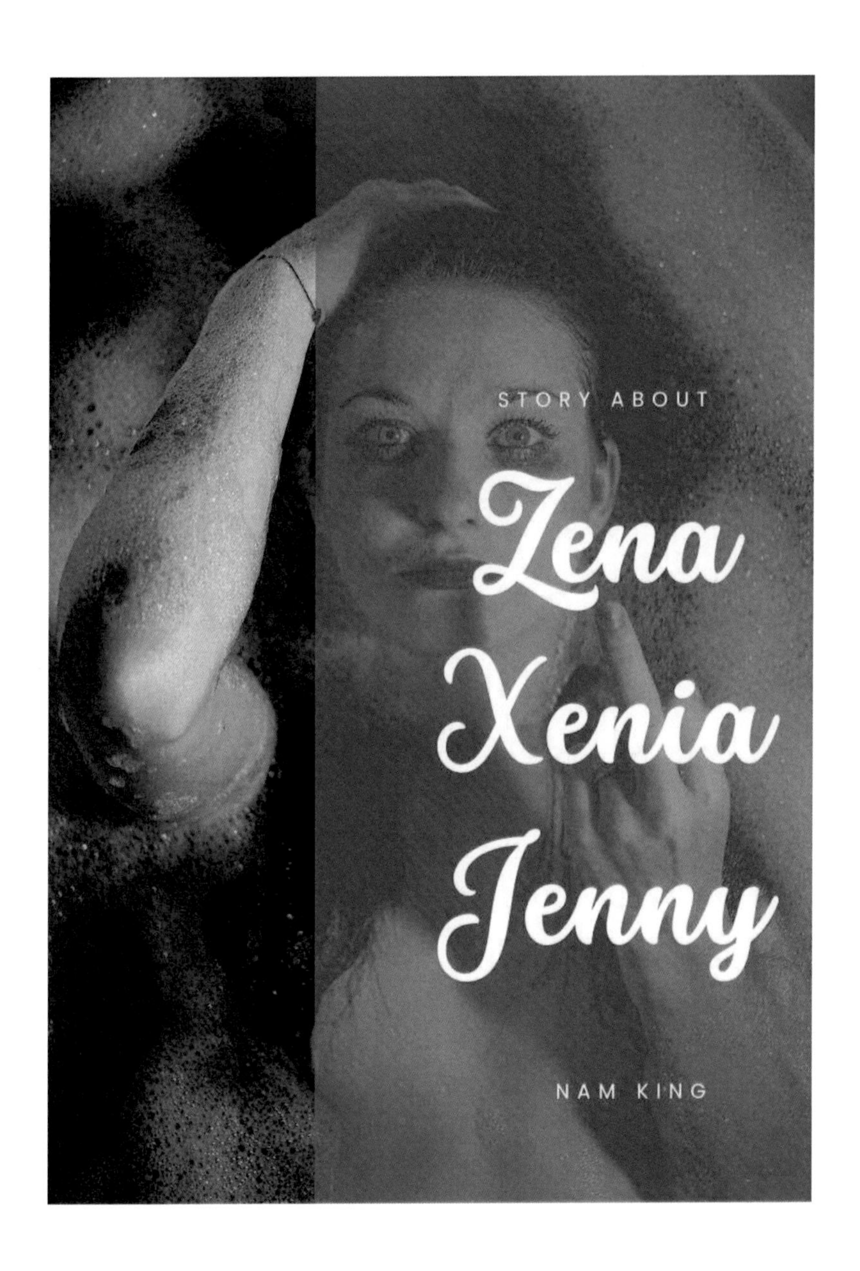
STORY ABOUT
Zena
Xenia
Jenny
NAM KING

거짓과 상상 혹은 죄와 벌 #04

제나 (Zena)

여자는 와인 한 모금을 머금고 양치하듯이 꿀럭꿀럭하더니 꿀떡 삼켰다. 그리고 잔을 다시 웨이터에게 내밀었다. 제나의 살짝 벌어진 입가가 붉게 빛났다. 웨이터는 좀 더 많은 와인을 그녀의 잔에 따랐다. 제나는 마시기 전, 나를 한번 힐끗 보면서 윙크하고 다시 한번 꼴깍 삼켰다. 나는 그 순간, 이 식당의 물탱크가 궁금했다.
앙증맞은 접시에 트뤼프 튀김이 요란한 장식과 함께 나타났다. 나는 죄스럽게도 이 장식을 깨부수는 작업에 미련을 두지 않았다. 왜냐하면 첫 만남의 긴장을 벗어버리자 허기가 심하게 솟았다. 목구멍에 쉴 새 없이 무언가를 집어넣었다. 제나는 술을 과하게 마셨다. 그녀는 잔을 바닥에 놓을 때마다 입술에 묻은 와인을 매번 혀끝으로 쓸어 담았다. 그리고 오목한 표정으로 포커를 사용해 트뤼프 조각 하나를 입에 넣고 오물거렸다. 창은 서서히 구름에서 벗어나 단조로움에 식상한 제나의 시선을 끌어당겼다.
봐요! 마침내 비가 멈췄어요. 지겨운 비.
나의 시선은 여전히 그녀에게 맴돌았다. 나는, 나의 여인이 벗은 옷에서 나는 향수에 심취한 듯 가늘어지는 눈으로, 음탕한 상상을 그리고 있었다. 하지만 욕망의 절정은 바로 다음이었다. 푸아그라가 슬픔을 가득 안은 고통을 표현하며 식탁의 중앙을 차지했다. 그녀는 기다렸다는 듯, 갈망을 묻힌 포크로 콕 찍어 톡 쑤셔 넣었다. 나는 푸아그라의 지나친 끌림에 대하여 가끔 고단한 실연을 느끼곤 한다. 그 이유는, 이 음식이 풍기는 끔찍한 단면 때문이었다.
그래! 모든 것은 우리가 봄으로써 간직할 수밖에 없는 추함에 이르곤 한다. 그날, 내가 본 영상은 틀림없이 그러하였다. 씩은 냄새가

뿌려놓은, 낡고 거친 농장에서 눈물 없이 반짝이는 눈으로 우리를 지켜보는 거위. 그의 목에 망설임 없이 깊이 박히는 작대기. 그 속을 파고드는 사료. 캑캑거리는 거위. 그 위에 겹치는 외계인. 나는 내가 상상하고 만들고 싶은 인간 사육 영화를 그려본다. 어쩌면 AI로 일 분이면, 내 노트북 동영상 폴더에 그럴싸한 외계인 영화를 추가할 수 있을 것이다.

우주에서 외계인이 나타난다. 혹은 땅에서. 혹은 바다에서. 아니면 우리 파충류 중 어느 날, 돌연변이로 인하여 심하게 똑똑한 종자가 나타난다. 아무튼 무엇이 되었든지 간에 좋다. 그들은 지구를 정복하고 인간을 사육한다. 지나치게 좁은 공간에 수백의 인간이 더럽게 벌거벗은 채 서성거린다. 그들에게 주어지는 플라스틱 사료. 바닥에 똥이 가득하고, 여름 더위는 천장에 먼지 가득 붙어 있는 팬을 돌리기도 벅차다. 인간의 피부는 모두 벗겨지고 진물이 흐르고 벌레 유충이 살을 파고든다. 모든 게 완벽하다. 이보다 더 멋있는 환경 보호 영화가 있을까. 인간은 그들이 15세가 될 때를 마지막으로 기억한다. 어느 날 긴 트럭이 나타나고 인간은 모두 갈고리가 채워진 채 실려 도살장으로 간다. 긴 행렬을 지키는 건, 변함없는 우리의 영원한 친구, 개. 그들은 인간이 쓰러지거나 이탈하거나 말을 듣지 않으면 가차 없이 물어 재낀다.

마침내 도살장 입구. 맛있는 고기를 위해, 외계인은 끝이 뾰족한 망치를 인간의 정수리에 세게 내리쳐 단박에 죽인다. 그리고 거꾸로 매단 다음 피를 쭉 뽑는다. 다음 차례는, 음 그렇지. 목을 절단하고 사지를 절단하고 거위의 부풀어 오른 간을 절단한다.

그녀는 웃음을 흘리며, 고상한 피아노 음악이 시작할 때쯤 나온, 이 음식에 대한 찬사를 늘어놓는다. 그리고 주저 없이 이빨 사이로 집어넣는다. 마치 피할 수 없는 숙명처럼, 나의 외람된 사치와 도도한 상념이 마주치는 이 순간에 대한 느낌은, 그녀를 꼭 매달고 싶다는 충동이었다. 목을 절단하고 사지를 절단하고 그녀의 부풀어 오른 간을 절단한다. 타일 바닥을 흥건히 수 놓은 고급 와인.

웨이터가 다시 나타났다. 누가 봐도 이 녀석이 범인이다. 그는 탐욕에 절은 눈으로, 내 여자의 볼록한 가슴골을 훑어 재낀다. 그는 카비아를 우리 중간에 놓고, 와인 병을 조금 안쪽으로 당긴 뒤, 랍스터 비스크를 두고 간다. 나는 그의 빛나는 눈을 줄곧 지켜봤다. 제나가 물탱크의 문을 여는 순간, 그의 손은 이미 그녀의 허벅지를 타고 올라 사타구니로 향하고 있다. 검은 카비아는 별처럼 빛났다. 랍스터는 형체도 없이 비스크 속으로 붉게 물들었다. 나는 무엇이라도 홀릴 수밖에 없는 이 순간에 대한 보답과 상대할 수밖에 없는 환상에 젖는다. 제나는 실크 블라우스 단추를 하나 더 풀었다. 그녀의 봉긋한 흰색 투명 유방을 타고 내리는 부드러운 숨결은, 메스를 꽂았을 때 주르르 흐르는 피의 자국이 선명하게 불타는 그 지점으로, 나의 시선이 간다.

****

호텔은 높고 우리 방은 가장 높았다. 침대 위에 그녀는 십자가처럼 엎어졌다. 얇은 천이 그녀의 엉덩이골을 가렸다. 금빛 머리칼이 고불고불 사방으로 기괴하게 뻗었다. 나는 이제 지나치게 고급스러운 이 환경에 대해, 익숙함을 지니기 위한 몇 가지를 상기했다. 그건 오래전에 홍콩의 공항에서 마주친 승무원과 나눈 이상한 진담 때문이었다.

당신이 유일한 일등석 손님입니다.

그럴 리가? 나는 일등석이 있다는 사실도 모르는데.

이벤트에 당첨되었습니다.

그럴 리가? 나는 이벤트가 있다는 사실도 모르는데.

잠자리에 드시기 전 침대형 좌석을 깔끔하게 정돈해 드리겠습니다. 좌석은 구름 위, 가장 편안한 상태로, 완전히 젖혀지는 침대로 탈바꿈합니다. 이렇게 말입니다. 두툼한 매트리스와 666수 베드 리넨, 부드럽고 푹신한 베개, 심신을 안정시키는 베개 미스트 등 일류 유기농 브랜드 뱀포드의 럭셔리한 침구가 편안함을 한층 높입니다.

그렇군요. 아주 편안합니다. 저기가 조종실로 통하는 문인가요?

네. 시그니처 요리를 준비하겠습니다.

바람개비 모양을 낸 버터, 발사믹 식초, 백자 통에 든 소금과 후추가 기본으로 세팅됩니다. 전채요리는 관자, 연어, 무스 바른 바게트, 새우튀김입니다. 모두 홍콩의 맛. 참살이 메뉴입니다. 친환경적이고 윤리적인 방식으로 생산한 최고급 재료입니다. 메인은 푸아그라입니다.

모두 훌륭합니다. 저분이 기장님이군요?

네. 기내 저장실에는 최고급 샴페인 뀌베, 유명 빈티지, 증류주 및 35,000피트 상공에서도 훌륭한 맛을 자랑하는 수제 페일 에일인 벳시 비어가 준비되어 있습니다. 또한 스위트는 무료 와이파이와 좌석 내 전원이 완비된 개인 업무 공간으로도 이용하실 수 있습니다. 완벽한 프라이버시를 위해 방해 금지 서비스 및 웨이크업 호출 서비스도 도입했습니다.

완벽하군요. 그런데 저 기장님이 문을 열지 못하십니다.

걱정하지 마세요. 고객님. 자, 여기 헤드셋을 드리겠습니다.

최첨단 기내 엔터테인먼트 시스템과 Dios 잡음 제거 헤드셋으로 더욱더 생생하게 즐겨보세요. 새롭게 갖춰진 18.5인치 고화질 스크린과 동영상 핸드셋은 몰입감 넘치는 환경을 완벽하게 제공해 드립니다. 블루드래곤 항공의 엄선된 라이브러리는 할리우드 및 홍콩, 한국 인기 영화, TV 드라마 전 시즌, 수상 경력의 아시아 인기 영화, 최신 팟캐스트와 음악 등 더욱더 풍부해진 콘텐츠를 선보입니다. 그리고 또 하나, 세계 최고의 유기농 브랜드 중 하나인 뱀파이의 순수한 천연 성분 피부관리 제품으로 비행하시는 동안 피부를 진정시키고 보호하며 수분을 공급하세요.

네. 황홀합니다. 그런데 저 기장님이 문을 발로 차는데 괜찮은가요?

전혀 신경 쓰지 마세요. 여기 세심하게 디자인된 JYE의 잠옷, 부드러운 슬리퍼, 안대는 전 세계에서 가장 우수한 품질의 면 소재로 제작되었습니다. 그냥 푹 주무세요. 9.11 테러 이후, 조종실 문은 절대 열 수 없도록 변경하였습니다. 그러니 곧 천국으로 가십니다. 부기장의 자살 비행이거든요. 감사합니다.

거짓과 상상
혹은
죄와 벌
남킹 장편소설
남킹 컬렉션 #002

거짓과 상상
혹은
죄와 벌
남킹 장편소설
남킹 컬렉션 #002

거짓과 상상
혹은
죄와 벌
남킹 장편소설
남킹 컬렉션 #002

거짓과 상상 혹은 죄와 벌 #05

제나 (Zena)

방 안에 어스름한 빛이 스며들어오는 새벽. 달리의 시계 그림이 내려다보는 침대 위에 미묘한 향기가 퍼져나간다. 그 냄새는 우아하고도 사랑스러운 제나의 속옷에서 나온 것이다. 확신한다. 비단처럼 부드러운 소재는 마치 구름 위에 떠 있는 듯한 착각을 일으킨다. 조심스럽게 손을 뻗어 만지면, 그 풍성한 꽃잎과도 같은 속옷의 표면이 미끄러워 손끝을 감싸 안아주는 듯하다. 아름다운 자수와 레이스가 철저히 엄선된 곳마다 자리하고 있다. 마치 자그마한 예술작품이 속옷에 흐르는 듯하다. 어우러진 선과 곡선은 제나의 몸매를 부드럽게 감싸 안고, 그곳에서만 발견할 수 있는, 숨은 아름다움을 드러내 준다.

전면을 덮은 모든 창이 파스텔 색조의 색감으로 변했다. 이것은 단순한 물감이 아니라, 감성의 표현이다. 그윽한 라벤더와 연한 피치, 부드러운 로즈 골드의 꽃들이 제나의 피부와 어우러져 아찔한 조화를 이룬다. 한 줄기 햇살이 그녀의 피부에 닿는 순간, 속옷은 마치 여인의 우아한 감성을 공유하는 듯한 느낌을 준다.

백옥과도 같은 피부는 자연의 귀한 보석과도 같다. 그 맑고 순수한 피부는 태양의 빛을 받아 반짝이며, 온전한 아름다움을 선사한다. 탐스러운 그 피부에는 어린 소녀의 순수함과 여성의 성숙함이 함께 공존한다. 살짝 벌어진 눈. 잠든 눈동자는 깊고 푸른 바다처럼 맑고 깨끗하다. 그 속에는 세계의 비밀과 이야기들이 담겨 있을 것만 같다. 그 푸른 눈동자는 우주를 향한 사랑과 열정, 그리고 새로운 모험을 꿈꾸는 용기를 물들이며, 시간이 흐를수록 더욱 깊어진다. 노랗고 투명한 머리칼은 태양의 햇살을 담은 미소처럼 따뜻하고 환하다. 그 속에는 자연의 풍요로움과 강인함이 서려 있다. 매혹적인 비음은 그녀의 섬세한 손길과 함께 쓸쓸한 밤을 비추며, 마치 감성적인 향연을 연출한다.
제나의 육체는 여신의 조각상과도 같다. 그 볼륨감 있는 곡선은 그녀의 여성성과 우아함을 동시에 드러내며, 마치 찬란한 꽃 한 송이와도 같다. 어루만지는 순간, 그 육체는 미끄러워 손끝에 닿아 즉각적인 열기를 전해준다. 그리고 그 열기는 마치 대지의 열기와 같이 끝이 없어서, 끊임없이 깊어진다. 제나를 침대에서 어루만지는 순간은 시간이 멈춘 듯한 순간이다. 그 아름다움은 책 속에 간직된 소중한 문장과 같다. 단 한 번의 만남으로도 영원히 기억될 특별한 순간이다. 이 순간은 우주와도 같은 넓은 광장에 피어난 별과도 같다. 소중한 그 순간은 저편으로 날아가지만, 영원히 기억될 것이다.
허리에 묶은 얇은 리본은 여성의 몸매를 더욱 강조한다. 매듭이 풀리는 그 순간, 그리고 풀리는 소리는 마치 야간의 셰익스피어의 연극이 시작되는 소리인 것 같다. 속옷을 벗으며 나아가는 그 장면은 시를 읽는 듯한 아름다움을 담고 있다. 우아한 몸매는 단지 미적인 아름다움뿐만 아니라 여성의 내면의 울림과 고요한 아픔, 그리고 열정을 품고 있다. 마치 문학의 감동을 불러일으키는 듯한 몸동작은, 그 안에 물든 그녀의 탐욕을 더욱 빛나게 한다. 마침내 그녀가 눈을 떴다. 입에서 쉰 포도주 냄새가 풍겼다.
잠은 잘 잔 거야?
그녀는 말없이 버둥거리며 일어났다. 잠시 고개를 돌려 무언가를 찾더니 그곳으로 성큼성큼 갔다. 욕실 문이 열리고 오줌 소리가 났다.

반투명 창에 그녀가 백조처럼 앉아 있다. 그리고 다시 침대로 올라와 잠들었다.

지금 몇 시야?

오후.

오후 몇 시?

1시 44분.

배고파!

뭐 먹고 싶어?

햄버거.

나는, 바로크 시대의 화려하고 과장된 장식을 매단 탁자에 놓인 태블릿을 켰다. 그리고 룸서비스를 확인하고 메뉴를 검색하고 주문을 하고 배달 시간을 지금으로 정하고 팁을 확정한 다음 그녀를 쳐다봤다. 제나는 다시 눈을 감았다. 나는 무료한 시간을 달래기 위해 유튜브에서 <Kwoon>의 <Schizophrenic>을 열고 블루투스 이어폰으로 귀를 틀어막았다. 그리고 눈으로는 틱톡 화면을 빠르게 넘겼다. AI로 쉽게 돈 버는 방법과 불타는 프랑스 도시들 그리고 카멜 토(Camel Toe)를 선명하게 드러낸 젖소 아가씨들이 무작위로 번갈아가며 나왔다.

하마터면 벨 소리를 듣지 못 할 뻔했다. 이어폰 하나가 귀에서 툭 떨어지는 바람에 알 수 있었다. 문을 열자 흰 셔츠에 베스트를 입고 나비넥타이를 두른 젊은 호텔직원이 미소를 머금고 서 있다. 그의 머리에는 흑단과 은사로 만들어진 타이가 아름다운 곡선을 이루며 묶여 있었다. 나는 만약 내가 동성애적 기질을 타고났다면 틀림없이 그에게 추파를 던졌을지도 모른다고 생각했다. 그는 음식 트레이를 조심스레 밀고 들어왔다. 그리고 활짝 열린 침실에 요염하게 누워있는 제나를 흘깃 쳐다보고서 나를 바라봤다. 나는 고개를 끄덕였다. 그는 다시 트레이를 밀어 침대 옆에 멈추었다. 그리고 가볍게 인사하고 방을 나갔다. 나는 준비한 동전을 건넸다.

햄버거 하나를 시켰는데 꽤 많은 것들이 딸려 왔다. 울긋불긋한 샐러드, 미네스트론, 초콜릿 트리플, 커피 통, 잔, 후추, 소금, 오일 통, 수저와 포크 그리고 냅킨까지. 음식 향이 그녀의 검고 무겁고 큰 눈꺼풀을 들어 올렸다. 그녀는 몽환적인 자세로 침대 귀퉁이에 걸터앉아 입을 하마처럼 벌리고 햄버거를 밀어 넣었다.

여기 햄버거 잘 만든다.

빅맥보다 나아?

그건 음식이 아냐. 그냥 쓰레기야.

그럼 넌 맥도날드 안가?

물론 가지. 자주는 아니지만.

그럼 쓰레기를 돈 주고 사먹는거야?

가끔 그럴 때가 있어. 이상하게 끌릴 때가 있다니까. 물론 먹고 나서 후회하지만.

나는 그 순간, 유튜브에서 본, 쓰레기더미에서 살아가는 아이들을 떠올렸다. 쓰레기로 만든 움막에서 쓰레기 속 깨진 유리에 상처 난 발바닥의 고름을 짜내는 아이의 눈에는 파리가 새까맣게 달라붙었다. 제나는 이제 흑갈색의 파리산 트뤼프 앙 쇼콜라 하나를 손으로 집어 입을 둥글게 벌리고 쏙 던져 넣었다.

너도 먹어봐! 맛이 예술이야.

나는 너를 먹고 싶은데.

그래? 좋아. 하지만 잠시 기다려. 나는 아무래도 큰 거를 먼저 해결해야겠어. 무슨 말인지 알겠지?

응.

제나는 향기로운 특급 호텔의 욕실 문 안으로 사라졌다. 나는 그녀가 먹고 쌀 때까지 조급하게 기다렸다. 하지만 그녀는 좀체 욕실 밖을 나오지 않았다. 반투명 유리에 비친 신기루. 생각은 제나의 새하얀 목욕 가운과 신비로운 향기를 맺은 희미한 미소로 묘사한다. 시간은 느릿느릿하게 흘러갔다. 그녀의 재발견을 애타게 기다리는 동안, 점점 나의 기대와 인내심이 사방으로 흩어졌다. 빈 곳은 공허함이 채웠다. 나는 피로를 느끼기 시작했다. 그리고 지쳐갔다. 나는 이제 그저 그녀의 존재를 빗겨보는 순간조차 기다릴 힘을 잃어버렸다.

신의 땅 물의 꽃
남킹 장편소설
남킹 컬렉션 #003

심해
남킹 장편소설
남킹 컬렉션 #004

거짓과 상상 혹은 죄와 벌 #06

제나 (Zena)

지금은 몇 시야?

밤.

밤 몇 시?

7시 44분.

내가 깰 때까지 기다린 거야?

응.

고마워.

고맙긴. 이제 너 깼으니까 우리 섹스하자.

그거 좋지. 그런데 한가지 궁금한 게 있어.

뭔데?

지난밤 우리 섹스 기억나?

물론이지. 내가 술에 완전히 곯아떨어진 줄 알았어?

아니. 그냥. 너가 다른 사람 이름을 중얼거리길래….

내가? 누구?

마르셀.

아, 마르셀. 내 직장 동료. 내가 말했지? 그 다큐멘터리 좋아한다는 녀석.

사랑하는 거야? 마르셀.

아니. 그냥 친구야. 섹스도 포함해서.

그럼 나는? 나도 친구야? 섹스도 포함해서?

너는 좋은 친구. 섹스는 덤이야.

그 차이가 불분명한 데.

섹스 안 할 거야?

아, 물론 해야지.

****

우리는 몸을 섞은 지 약 20분 뒤에 호텔 뒤편을 둘러싼 정원을 걸었다.

푸근한 이 밤에 너와 함께 거닐면서 대화를 나누는 건 참으로 기발한 일이야. 뭐라도 이야기하며 서로를 훔쳐보는 건 어떨까?

그래, 나도 마음에 들어. 이런 분위기에 어울리는 대화를 나누면 좋을 것 같아. 무엇을 얘기해볼까?

어쩌면 너의 꿈에 관해 얘기해볼까? 나는 항상 꿈을 신봉하는 사람들에게 묘한 끌림을 느껴. 너의 꿈은 어떤 종류야?

나의 꿈이라면, 세계 각지를 뒤지며 다양한 녀석을 체험하는 것이야. 다른 나라의 사람들과 관계하고 그들의 욕망을 듣는 것. 그게 내가 꿈꾸는 모험이야. 지금처럼. 너는 어떤 꿈을 꾸고 있어?

나의 꿈은, 나의 반대편에 있는 녀석들을 혼내는 거야.

반대편?

어떤 멍청한 감독이 만든 영화인데, 절대로 부서지지 않는 인간의 반대편에 늘 부서지는 인간이 존재한다는 거야.

그럼 너는 절대 부서지지 않는 인간인 거야?

내가 금방 말했잖아. 멍청한 감독이라고. 반대편을 잘 못 이해하거나 착각하고 있는 거지. 대다수 인간처럼.

그럼 너는? 제대로 이해하고 있는 거야?

물론이지. 좌와 우. 흑과 백. 부자와 가난한 자는 반대라고 우리는 배우지. 뭔가 쉽고 명확하고 편리하니까.

그럼 너는?

그래, 나는 반대지. 뭔가 어렵고 불명확하고 불편한 것에 물들려고 노력하니까.

어려운데?

내가 쉽게 예를 들어보게. 나도 너처럼 세상의 모든 사람과 채팅하지. 매일 수많은 여인을 새로 만나지. 그리고 대다수는 며칠 내로 헤어지지. 내가 섹스라는 용어를 꺼내는 순간, 그들은 나를 변태로 규정하고 떠나지. 뭔가 쉽고 명확하고 편리한 잣대로 사람을 평가하는 거지. 그런 의미에서 나는 너를 사랑해.

너를 변태라고 규정하지 않아서?

응.

나도 너가 좋아. 물론 다른 의미에서.

다른 의미?

그래, 너의 부드러운 손길이 좋은 거야. 나를 만지는 그 촉감 말이야.

나도 그래. 누군가가 나를 만져주기를 좋아하지. 그래서 나도 만지려고 노력하는 거고.

그럼. 우린 천생연분이네.

그렇다고 봐야지.

아무튼 우린 지금까지 잘 지냈잖아. 물론 실제로 몸을 섞은 것은 어제부터이지만.

난 우리가 서로에게 나체 사진을 보낼 때부터 연인이 되었다고 생각해.

언제부터였지?

우리가 채팅한 지 사흘 뒤.

그렇게 빨리?

응. 너가 그만큼 뜨거웠다는 거지. 나에 대하여.

나만 뜨거웠던 거야?

아니 우리 둘 다.

파벨 예언서
떠오르는 위협
남킹 장편소설
남킹 컬렉션 #008

남킹 컬렉션 #017

스네이크 아일랜드

1권

죽고싶지만 복수는 하고 싶어

남킹 판타지 스릴러

거짓과 상상 혹은 죄와 벌 #07

제나 (Zena)

그래서, 너의 구체적인 꿈은 뭐야?
작품을 통해 사람들에게 눈물과 절망을 전하는 작가가 되는 것이야. 글로써 사람들에게 고통을 주고, 음악으로 마음속 깊은 곳에 퇴폐를 심어주는 그런 예술가가 되고 싶어. 그리고 그 소중한 <의미 없음>을 인간의 다양성을 존중하며 전 세계에 나눠주고 싶어.
멋진 꿈이야. 네가 작가로서 세계를 향해 전하는 이야기는 분명히 많은 사람에게 심연을 주게 될 거야. 그리고 우리 사이에도 강한 유대를 형성해 줄 거야.
마저. 우리 사이에 특별한 연결이 느껴져. 네 속에 담긴 끌림에 대한 열정과 내 안의 이야기들이 서로 어우러져 하나의 비전으로 이어진다는 것을 느껴. 이 밤은 마치 우리가 서로의 꿈을 이야기하며 새로운 몽환을 발견하는 순간이야.
그래, 이런 대화는 언제나 특별하지. 만나서 쾌락을 쌓고 고통을 가꾸다 보면 서로를 더욱 빛나게 해주는 것 같아. 이 밤이 끝나더라도 우리는 함께 갈 거야. 어둠 속으로.
그런 의미에서 우리 다시 한번 섹스할까?
벌써 발기가 된 거야?
사실, 비아그라를 좀 챙겨왔어. 이럴 때를 대비해서. 콘돔과 비아그라는 현대 남성의 필수품이지.
나도 챙겨온 게 있는데. 깜빡했네. 나 바이브레이터 사용해도 되?

물론이지.
****

섹스가 다시 끝났다. 그녀는 다시 잠들고 나는 깨어 있다. 조명은 가늘었다. 빈 곳을 채우는 어둠은 연속적으로 타오르는 향이라고 느꼈다. 냄새가 났다. 한풀씩 벗겨지는 커튼으로, 달음질치는 바람에 시선이 흔들렸다. 나는 제나의 연분홍 젖꼭지를 만지며 시선을 천장으로 향했다. 누른 연 나뭇결이 주름진 끝자락으로 펼쳐진 곳은, 마치 미로의 끝에 솟는 샘물처럼 도드라지기도 하였고 무난하기도 하였다. 빈 곳. 그 외에는 모든 게 텅 비었다. 나는 내 나름의 논리로 이 허전함을 애써 자위하지만, 언제나 그런 것처럼, 이 상황은 불편한 기억으로 이어졌다.

제나를 만나기 전 갈등이 있었다. 나는 그동안 손쉽게 돈으로 여자를 유혹했다. 그날도 여전히 비가 오고 구름은 무겁고 날은 춥고 사람들은 많이 몰려다녔다. 나는 기차역에 내렸다. 아마 무슨 날인 것처럼 보였다. 공간마다 음식점이 열렸고 오픈된 가게에 줄 서 있는 관광객들이 보였다. 나는 그녀에게 공손한 메시지를 보냈다. 그런데도 그녀의 답은, 퉁명스러움을 넘어서는 고통을 머금고 있었다. 무엇이 그녀를 그렇게 만들었는지는 모르겠다. 어쩌면 내가 느낀 소박한 감상에 대한 그녀의 처절한 기복과 우려 때문일 수도 있고, 저변을 흐르는 미쳐가는 우리 사이의 냉담일 수도 있다. 구름을 따라 점점 멀어지는 가게. 나는 서서히 물들어가는 내 이면의 강도에 따라 천천히 길을 나서 그녀의 동네로 이끌어 줄 지하철로 갈아탔다. 그때쯤 그녀에게 온 메시지는 꽤 공격적이었다.

너를 반겨줄 여유가 없다는 사실 하나만으로도 너는 충분해!

나는 휴대폰을 주머니에 집어넣고 창에 비친 나를 수식 없이 바라봤다. 모든 갈등은 작은 매듭에서 시작했다. 그 과정은 사소한 오해와 반목이, 기대하는 만큼의 단계로 접어들수록 어려워지고 복잡해졌다. 나는 이런 것에 서툴다. 나도 그 녀석처럼 드라마를 보지 않는다. 뻔한 이야기들. 늘 지극히 작은 자존심의 상처를 둘러싼 호들갑스럽고 멍청한 대사들의 향연. 나도 마르셀과 같은 족속이다. 줄곧 다큐멘터리만 볼 뿐이다. 그러니 여자의 기분을 달래주는 것은 언제나 곤혹스럽다.

그녀의 마을은 내가 다니는 직장에서 30km쯤 떨어져 있다. 하지만 대중교통은 열악하기 그지없다. 나는 차를 사지 않은 편리함에 대한 긍정적 사고를 늘 한다. 삶의 단순함에 길들었다는 사실에 자부심을 느끼곤 한다. 무엇으로 바꿀 수 없는 이 간단함이 주는 안락함. 하지만 그녀를 만나기 위해 거쳐야 하는 과정은 꽤 고통스럽다. 나는 기차 시간표와 버스 스케줄을 앱에서 확인하고, 그에 맞춘 시간을 계산하고, 내가 중간에 머물 때를 대비한다. 귀찮기 짝이 없는 이 작업.

젠장, 이럴 땐 한국이 그리워. 값싼 택시에 모든 것을 맡기면 되잖아.

나는 아주 작은 시골 역에 도착했다. 그야말로 무척 작았다. 개찰구도 자판기도 안내 창구도 행인도 없는 쓸쓸하기 짝이 없는 역. 나는 담배를 물고 그 연기가 사라지는 하늘을 바라봤다. 푸른색을 담은 옅은 구름. 그리고 그녀를 잠시 떠올렸다. 한동안 그녀에게서 어떤 답장도 오지 않았다. 늘 그랬다. 그녀는 지나치게 감성에 휘둘렸다. 그리고 나는 그녀의 행동을 용서하는, 넓은 마음가짐을 익힐 만큼의 욕망은 지니지 않았다. 그게 문제였다. 만나면 만날수록 점점 더 멀어졌다. 그런데도 나는 바보같이 그녀와의 연결을 끊지 않고 있다.

****

왜 온 거야?

휴일이잖아.

뭐 우리가 주말 부부라도 되는 거야?

그냥 갈 곳이 없어.

그럼 여긴 갈 곳 없으면 들르는 정류장이야?

갈 곳 없는 사람은 정류장으로 가지 않아.

그래서 왜 왔는데?

여기서 자려고.

누가 재워 준대?

나는 푹신한 소파에 앉았다. 그리고 지갑에서 돈을 꺼내 탁자에 놓았다. 잠시 침묵이 흘렀다. 그녀는 화장실에 들어갔다. 잠시 후 변기 물소리가 났다. TV에선 온몸에 문신한 힙합 전사들이 카메라를 줄곧 째려보며 입을 놀렸다. 붉은 커튼으로 가린 작은 창은 슬픈 빗물을 묻혔다. 중간이 푹 꺼진 작은 침대와 허름한 책상이 공간의 한쪽을 채웠다. 벽에는 오래된 책들이 쌓여있고 노란색의 녹슨 등불이 옅은 빛을 뿜었다. 다른 벽에는 가족사진이 걸려있다. 아프리카의 전형적인 시골 풍경 속에 대가족이 유난히 하얀 이를 드러내고 웃고 있다.

남킹 판타지 소설집

하니은 매화

남킹 컬렉션 #015

남킹 컬렉션 #019
이방인
남킹 장편소설

거짓과 상상 혹은 죄와 벌 #08

제나 (Zena)

순수한 색감을 지닌 벽지는 은은한 분위기를 조성하였다. 마치 그녀의 작은 세계를 감싸주는 것처럼 느꼈다. 욕실 옆 선반에는 작고 우아한 꽃병이 놓여 있다. 그 안에는 작은 야생화들이 그들의 마지막 생을 태우고 있다.
이윽고 그녀가 나타났다. 얇고 가느다란 망사가 그녀의 나체를 감싸고 있다. 그리고 망사의 구멍으로 그녀의 초콜릿 빛 피부가 빛을 냈다. 투명한 직물은 그녀의 빈정대는 갈망을 그대로 드러냈다. 물론 그것은 내게 선물이었다.
와! 멋진데!
어제 샀어.
그럼 내게 보여주려고?
당연히 그럴 리가 없지. 다만 너가 첫 번째야.
나는 그녀를 손으로 감쌌다. 풍성한 살이 깊이 들어갔다. 향이 올라오고 나는 발기했다. 그리고 늪으로 빠져들기 시작했다. 나는 그녀의 입술을 벌리고 혀를 집어넣었다. 하지만 그녀는 곧바로 입을 뗐다.

미안하지만 오늘 여기서 재워 줄 수는 없어.
왜?
약속이 있어.
무슨 약속?
내가 그것까지 말해야 하는 거야? 우리가 그런 사이야?
그녀가 정색하며 뒤로 물러났다.
그럼 어떤 사이인데? 그냥 돈 주고 섹스만 받아 가는 사이야?

이런 개새끼! 당장 내 집에서 꺼져!
나는 탁자에 놓인 돈을 집어 호주머니에 넣었다. 그러자 그녀가 내 팔을 꽉 잡았다.
이런 찌질이 같은 놈! 준 돈을 도로 가져가는 놈이 어디 있어!
그래! 난 찌질이다! 이 갈보년아! 네 눈에는 내가 호구로밖에 안 보이지?
나는 폭발했다. 그녀를 거칠게 흔들었다. 그리고 그녀를 침대로 쓰러트리고 목을 있는 힘껏 두 손으로 조였다. 그녀의 얼굴이 점점 굳어졌다. 나를 째려보던 그녀의 눈에 흰자위가 점점 많아졌다. 그리고 눈꺼풀이 차츰 내려갔다. 그녀의 눈이 다 감겼을 때 나는 손을 풀었다. 그녀는 축 늘어졌다.
****
제나가 파닥거리며 눈을 떴다. 한 줄기 식은땀이 그녀의 이마에서 볼로 흘렀다.
꿈꾼 거야?
응. 그런가 봐.
좋은 꿈? 나쁜 꿈?
늘 비슷해. 안 좋은 꿈이야.
무슨 꿈인데?
넓은 집에 나 혼자뿐이야. 나는 꼬부랑 할머니가 되었고. 그런데 세찬 비가 내려. 빗물은 마당을 가득 채우고 이윽고 집으로 들어오기 시작해. 하지만 내 곁엔 아무도 없어. 나는 발버둥 치지만 물속에 잠기고 말아.

그건 아마 너의 무의식에 남아 있는 외로움에서 벗어나기 위해 어떤 사랑을 갈구하는 것일 수도 있어.

하지만 나는 사랑을 느껴 본 적이 없어.

정말?

응.

왜?

그런 일이 있었어.

무슨 일?

13살 때 일이 있었어.

누군가에게 강간당한 거야?

아니, 그보다 더 슬픈 일.

도대체 무슨 일인데?

남킹 컬렉션 #011

1월의 비

남킹 감성 소설집

눈물이 당신의 볼을 타고

브런치 스토리

낭킹 컬렉션 #033

거짓과 상상 혹은 죄와 벌 #09

제나 (Zena)

너에게 언젠가 말했을 거야. 아마. 난 유복한 집 외동딸로 태어났어. 그래서 어릴 때부터 애완동물을 많이 길렀지. 개, 고양이, 말, 돼지는 말할 것도 없고 토끼, 새, 햄스터, 거북이, 금붕어, 고슴도치까지….

와! 그야말로 동물의 왕국이네.
그런 셈이지. 그러다 어느 날 볼 파이선(Ball Python)을 기르기 시작했어.
볼 파이선?
응, 그냥 작고 온순한 뱀이야.
무섭지 않았어?
아니. 이미 도마뱀과 악어도 길러 봤는데 뭘. 문제는 다음이야. 나는 작은 뱀에 만족하지 못하고 무척 큰 황금 비단뱀을 기르기 시작했어.
너는 동물 다큐멘터리 찍어도 되겠다. 그런데 그게 사랑과 무슨 관계가 있는 거야?
나는 그 녀석을 무척 좋아했어. 늘 같이 생활했어. 잘 때도 같이 자고. 그런데 어느 날부터 음식을 안 먹는 거야. 아무리 좋은 먹이를 줘도 모두 거부하는 거야.
겨울잠 자려고 그러는 거 아냐?
바보야! 비단뱀은 인도네시아 같은 더운 지방에 살아. 겨울잠을 잘 리가 없지. 아무튼 그래서 수의사한테 데려갔지.
그래? 의사가 뭐라던데?
더 큰 먹이를 먹기 위해 몸을 비우는 과정이래.

더 큰 먹이?
응. 바로 나.
이런, 배은망덕한 파충류 같으니라고. 그래서 어떻게 해서?
일단 사흘 동안 울었어. 그리고 우리 집 창고에 중국산 큰 도자기가 있는데 그곳에 가뒀지. 단단하게 밀봉하고 구멍을 2개 뚫었어.
숨구멍이구나?
아니. 술 구멍. 그곳으로 술을 잔뜩 부었어.
오, 뱀술. 그거 한국에서는 유명한데.
아니, 나는 그냥 방부처리 하고 싶었을 뿐이야.
그래서 어떻게 되었어?
오랫동안 잊고 살았지. 그러다 부모님이 돌아가시고 그걸 발견한 거야. 그래서 경매에 내놓았는데 아주 비싼 값에 팔렸어. 어느 부유한 중국인이 사 갔다더군.
결과적으로는 잘 되었네. 그런데 그게 사랑이란 무슨 관계야?
그때부터 누군가에게 사랑을 주는 행위가 사라졌어. 그게 애완동물이든 사람이든 상관없이.
그 상태가 지금까지 이어 온 거야?
그렇지. 그때의 배신감이 너무도 컸던 것 같아. 하지만 모든 게 나쁜 것은 아니야. 긍정적인 면도 있어. 정신적 사랑을 닫으니 육체적 사랑이 분출한 거지. 말하자면 육체적 쾌락에 몰입하게 된 원동력이야. 그리고 지금 너는 그 혜택을 보는 거고….
결국, 그 뱀이 우리를 맺어 준 거네. 말하자면.
그렇지. 말하자면.

그런 의미에서 우리 죽은 뱀을 위로하는 육체적 향락을 한 번 더 누려볼까?
아! 그런데 그 중국인한테서 놀라운 이야기를 들었어.
너의 뱀술, 아니 그 뱀을 사 간 사람 말이지?
응. 밀봉을 풀고 그 뱀을 끄집어냈는데 여전히 꿈틀거렸다는 거야.

맙소사. 그거 공포영화의 한 장면인데.
마저. 실제로 그 얘기 듣고 한동안 악몽을 꾸었지. 그 뱀에게 칭칭 감겨 서서히 잡아 먹히는….
배고프지 않아?
나는 휴대폰 시계를 쳐다보며 그녀에게 물었다.
샤워부터 할 거야.
그래, 그럼.
제나는 우아한 욕실로 들어갔다. 나는 반투명 거울에 비친 그녀를 지켜봤다. 그런데 욕실 문이 벌컥 열리더니 제나가 내게 오라고 손짓했다.
왜?
샤워하는 거 촬영 좀 해줘.
그녀는 여유로운 움직임으로 옷을 벗어 아름다운 몸짓을 내게 보여주며 활짝 웃었다. 나는 휴대폰 카메라를 동영상 모드로 바꾸고 그녀를 담기 시작했다. 천장에 매달린 피자 모양의 반짝이는 샤워기에서 물이 쏟아졌다. 물방울은 그녀의 피부에 부드럽게 흘러내리며, 몸을 감싸는 맑고 투명한 장막을 이루었다. 그녀의 머리카락은 물결처럼 흐르며 어깨를 덮었고, 몸 구석구석을 탐닉한 물살은 미련이 남는 듯 배수구에 모여들어 거품으로 변해갔다. 그녀는 한 번씩 얼굴에 흐르는 물을 손으로 훔쳐내며 카메라를 응시하고 코믹한 표정을 지었다. 그녀의 눈동자가 반짝였다. 나는 다양한 각도에서 그녀를 촬영했다.

욕조에서는 안 할 거야?

응. 샤워만 할 거야.

이윽고 물이 멈추었다. 잠시 고요해졌다. 제나는 나를 보며 미소 지었다. 그리고 손짓했다. 나는 휴대폰을 내려놓고 그녀를 포근하게 안았다. 그리고 섹스했다.

****

너도 대충 눈치챘겠지만 나는 틈틈이 동영상을 만들어 부수입을 올리고 있어.

내가 찍은 동영상을 살피던 그녀가 말했다.

어디에 파는데?

유료 포르노 사이트에.

그럼?

그래, 마르셀이 촬영 기사지. 실력이 좋아. 편집도 잘하고.

수입이 괜찮은 거야?

들쭉날쭉. 하지만 점점 더 좋아지고 있어. 게다가 온리팬스가 생기면서 요즈음 한몫 단단히 챙기고 있지.

온리팬스?

응. 그런 곳이 있어. 멍청한 녀석들이 내 몸 보겠다고 돈을 싸 들고

오는 곳이야.

와! 그럼 나는 행운아네.

그렇지. 너는 귀하신 내 몸을 공짜로 보고 만지고 쑤시기까지 하고 있으니. 당연하지.

아무튼 고마워.

그다지 고마워할 필요는 없어. 어차피 곧 썩어 문드러질 육신인데 뭘.

리셋
Reset
남킹 SF 소설집
남킹 컬렉션 #010

거짓과 상상 혹은 죄와 벌 #10

제나 (Zena)

그거 너무 비관적인 거 아냐?

사실이 그런데 뭐. 불변의 진리잖아. 우리는 곧 죽는다는 거.

그건, 그렇지.

게다가 지금 우리는 돈의 세상에 살고 있잖아. 그러니 내 몸을 적당히 활용해 손쉽게 돈 벌고 신나게 쓰다가 죽는 거지 뭐 별수 있어?

너 그러다 너의 직상 상사한테 발각되면 잘리는 거 아냐?

이미 발각되었어.

그런데도 괜찮은 거야?

어느 날 회사 갔더니 직속 상사가 포르노 사이트 띄워 놓고 내게 어떻게 된 거냐고 묻는 거야 그래서 쉽게 해결했지.

어떻게?

입막음용 섹스.

그것참 편리하긴 편리하구나.

게다가 그 녀석도 찔리는 게 있었거든. 그 포르노 사이트 유료 회원이었으니까.

****

제나는 술 기행을 다시 시작하였다. 호텔의 레스토랑에서 로제 와인을 한 병 비우더니 라운지, 바, 클럽을 돌며 버번, 보드카, 로얄 진, 다크 럼, 데낄라, 골드 큐빈, 몰티즈까지 홀짝였다. 그녀는 늘 우아한 자세로 술잔을 들었다. 그녀의 손가락은 유연하게 잔을 돌려 그 안의 액체와 일체가 되어 흐르는 듯한 느낌을 주었다. 술잔을 들 때마다 손끝에서 흘러나오는 본능적 움직임은 고상한 선율과 어우러져 그녀를 더욱 매혹적으로 만들었다. 그녀는 바에서 사람들과 웃음을 공유하며 활발하게 소통했다. 라운지에서는 레게 음악과 함께 귀로 전해지는 리듬에 맞춰 몸을 흔들며 가볍게 춤을 즐겼다. 코발트블루의 드레스가 그녀의 몸을 감싸며, 그녀는 밤의 여왕으로 변해 있었다. 그리고 클럽에서 제나는 몸을 육중한 베이스에 맞춰 격렬하게 흔들며 밤의 환상적인 에너지 속으로 빠져들었다. 그녀의 표정은 술에 취한 유혹과 열정으로 가득했다.

어느새 새벽 4시. 룸으로 돌아온 그녀는 희미한 웃음 자국을 떠올리다 유쾌한 광채를 품은 눈동자를 내게 보내며 옷을 모두 벗어 아무데나 집어 던졌다. 그리고 침대에 벌렁 드러누웠다.

나 여기 이 호텔에 오면서부터 줄곧 생각한 게 있어.

그게 뭔데?

물탱크.

여기 이 호텔 물탱크?

응. 패러디하는 거지. 죽은 그 여자처럼. 호텔 물탱크에서 수영하며 정사를 벌이는 거야. 아마 멋진 동영상이 될 거야.

누구와?

당연히 너지. 바보야.

그러면 누가 촬영을 하지?

우리 룸서비스 그 녀석 꾀어볼까?

제나는 벌떡 몸을 일으키더니 함박웃음을 지으며 내게 다가와 두 손을 꼭 잡았다.

글쎄? 호텔 옥상이 잠겨 있지 않을까?

당연히 잠겨 있겠지. 하지만 화재 같은 긴급 상황을 고려하여 여기 직원들이 열쇠를 가지고 있을 거야 틀림없이.
그 녀석이 협조할까? 들키면 직장에서 잘릴 텐데.
모든 것은 돈이야. 돈이면 안 되는 게 없지. 우리가 사는 지금 이 세상 말이야. 아무튼 룸서비스 요청해봐. 다음은 내가 알아서 할게.

나는 떨떠름하였지만, 룸서비스로 햄버거를 신청했다. 어차피 출출하기도 하였다.
****
문을 열자 그 젊은 호텔직원이 같은 미소를 머금고 서 있었다. 여전히 그의 머리에는 흑단과 은사로 된 타이가 묶여 있었다. 나는 그의 이름표를 살폈다.
벤야민.
나는 그를 침실로 안내했다. 제나는 속이 훤히 비치는 실크 레이스 속옷을 입고 요염하게 그를 맞았다. 그는 음식이 든 트레이를 정중하게 침대 옆에 두었다.
한 가지 부탁을 해도 될까요?
제나가 다정스러운 목소리로 그를 쳐다봤다.
네, 무엇을 도와드릴까요?
사진을 좀 찍어 주세요. 제 몸 전체가 다 나오도록.
제나는 벤야민에게 휴대폰을 넘겼다. 그리고 내게 눈짓했다. 나는 조용히 침실을 나가며 문을 닫았다. 도시의 빛이 창문을 통해 부드럽게 스며들었다. 바람을 안은 커튼의 옅은 그림자들이 벽을 따라 춤을 추었다. 나는 그녀가 자기 옷을 풀어 벤야민을 유혹하는 상상에 잠겼다. 어쩌면 그의 손이 매혹적인 곡선 위에 머물 것이다. 그녀의 몸은 자유로움이다. 낮은 조도 속에서 그녀의 피부는 빛을 발하며, 벤야민의 눈을 사로잡는다. 시간이 멈춘 듯한 순간, 그는 사진을 찍기 위해 흥분한 자신을 보듬는다. 그리고 한 장 한 장, 그녀의 아름다움을 담아낸다.

휴대폰 플래시가 번쩍하며, 순간이 멈춘다. 각각의 사진은 장면의 은밀함과 함께, 그들의 욕망을 투영한다. 그들은 둘만의 세계에 빠져든다. 이 순간은 유혹과 감탄이 얽힌 마법 같은 시간. 벤야민은 눈으로 제나의 아름다움을 새기고, 제나는 자기 모습을 이미지에 펼쳐놓는다. 내 마음은 어떤 감정을 담아야 할지 망설였다. 꿈꾸듯 상상하는 나는 그 장면 속에서 제나와 벤야민의 끈적이는 탐욕을 본다. 몸의 윤곽과 피부의 감촉이 서서히 픽셀로 바뀐다. 조용히 교감하는 그들의 순간은 희미한 빛으로 수 놓여, 서로의 모습을 감싸고 있다. 불확실한 어둠 속에서 제나의 몸은 어찌할 수 없이 이상야릇하게 날아가는 나비처럼 우아하게 펼쳐져 있다. 벤야민은 사진 속에서 제나의 미소를 응시하며, 그 아름다움에 매혹되어 있다. 그들은 마치 서로의 영혼을 탐색하듯, 어둠에 품겨진 열정과 사랑을 함께 녹여내고 있다. 이 미친 이상한 순간은 시간과 현실의 벽을 뛰어넘어, 오직 그들만의 세계에서만 존재하는 것 같았다.
어둠 속에서 번져 나오는 새벽의 적막, 서로의 유혹에 빠져든 몸의 감촉, 그리고 그들의 눈빛이 어울려 펼쳐진 미지의 세계는 이미지로 변해 우리를 유혹할 것이다.

마침내 침실의 문이 열렸다. 홍조 빛 얼굴을 한 벤야민은 서둘러 인사를 하고 나갔다.

어떻게 되었어?

응. 잘되었어. 한 시간 뒤 퇴근하고 우리에게 올 거야. 옥상 키를 가지고.

그녀는 휴대폰에 담긴 자신의 나체 사진을 이리저리 돌려보며 말했다.

돈을 준 거야?

돈보다 더 좋은 거. 한창때잖아.

****

스카이라인을 조망할 수 있는 높은 위치에 물탱크가 여러 개 있었다. 그것들은 규칙적인 형태로 호텔 건물의 아키텍처와 조화를 이루고 있었다. 그리고 생각보다는 작았다. 가까이 다가서니 귀엽기까지 하였다. 물탱크는 주변에는 안전을 위한 난간이 갖추어져 있었다.

와! 정말 멋진 광경이야!

제나는 어둠 속에 펼쳐진 도시의 야경을 바라보며 감탄을 연발했다. 시원한 도시의 바람이 불었다. 우리는 난간에 기대어 고층 건물의 형형색색인 외관과 도로를 쏜살같이 달리는 차들을 지켜봤다. 별빛 아래에서 탱크는 우리와 도시의 아름다움을 하나로 품고 있었다. 사복으로 말쑥하게 차려입은 벤야민이 뒤에서 엉거주춤하게 선 채 우리를 쳐다봤다. 그리고 말했다.

뚜껑을 열겠습니다.

물탱크 뚜껑을 벤야민이 힘들게 열었다. 그는 고개를 그 속으로 집어넣어 두리번거리더니 이윽고 나를 쳐다보며 말했다.

어두워서 아무것도 보이지 않습니다.

잠시만 기다려. 내가 그곳으로 갈 테니.

나는 물탱크 벽면에 난 철계단을 타고 벤야민에게로 다가갔다. 그리고 휴대폰 플래시로 탱크 내부를 비추었다. 시원하고 투명한 물이 찰랑찰랑 넘치는 장면을 기대했건만 탱크 속 물은 꽤 깊은 곳까지 내려가 있었다. 탱크의 수면은 마치 죽은 듯 정적이었다. 나는 크게 소리쳤다.

안녕!

순간이지만 탱크가 소리로 가득했다. 나는 물 표면으로 가벼운 파동이 이리저리 퍼져나가는 모습을 보았다. 하지만 물의 색깔은 여전히 짙은 어둠이었다. 나는 한숨을 쉬었다.

젠장, 여기서 수영하기는 글렀는데. 우리 그냥 내려가자.

안돼. 물이 얼마나 깊은지 체크는 해봐야지.

어느새 제나가 내 곁에 와서 어두운 공간으로 비친 한 줄기 휴대폰 불빛을 따라 시선을 옮기며 내게 말했다.

저기까지 내려갔다가 어떻게 올라오려고?

바보야! 벽면을 봐!

제나는 자신의 휴대폰 플래시를 켜더니 탱크 내부의 벽면을 비추었다. 그곳에는 철계단과 손잡이, 안전망까지 갖추고 있었다.

어때? 저 정도면 안심할 수 있겠지?
그래도 이거 너무 내려가는데….
내가 고개를 설레설레 저으며 말하는 순간, 제나는 갑자기 속이 안 좋은지 헛구역질을 하며 내 어깨를 한 손으로 꽉 잡았다. 그리고 그 때 제나의 휴대폰이 그녀의 구토물과 함께 탱크 속으로 장렬하게 떨어졌다. 제나의 입에서 역겨운 쉰내와 더러운 욕지거리가 한꺼번에 쏟아졌다.
이런 좆같은 상황이 생기다니!
벤야민과 나는 서로를 쳐다봤다.
어떡하지?
어떡하기는! 내려가서 휴대폰 찾아야지! 최신 아이폰이야! 산 지 한 달도 안 되었어! 할부금도 한 번밖에 안 낸 거라고!
제나는 입을 한번 손으로 쓱 닦고는 내부 철계단을 내려가기 시작했다. 벤야민과 나는 서로의 눈치를 살폈다. 내려가서 오염된 물에 몸을 담근다고 생각하니 소름이 끼쳤다. 하지만 제나 혼자 내려보낼 수는 없었다. 하는 수 없이 내가 나섰다.
벤야민. 너는 여기서 플래시를 우리 쪽으로 계속 비춰야 해! 알았지!

나는 벤야민에게 나의 휴대폰 암호를 푼 다음 그에게 넘겼다. 그는 고개를 끄덕였다. 나는 그녀를 따라 어둠 속으로 조심스레 내려갔다. 한 발짝씩 발을 아래로 내디딜 때마다 몸 전체에서 욕이 튀어나왔다.
제나! 몸은 괜찮은 거야?

걱정하지 마! 수영에는 자신 있으니까!

제나가 물에 닿았는지 첨벙거리는 소리가 울려 퍼졌다. 나도 찬물에 천천히 몸을 담갔다. 오싹함이 전신에 번져갔다. 나는 물에 몸을 맡기고 크게 호흡한 뒤 천천히 숨을 죽이고 잠수를 했다. 다행히 바닥은 얼마 내려가지 않아 닿았다. 하지만 문제는 어둠이었다. 빛은 완전히 사라지고 나는 심연으로 내몰렸다. 나는 손끝으로 휴대폰의 존재를 쫓아갔다. 시간은 느려지고 주변은 알 수 없는 세상으로 변했다. 손은 수줍게 물결을 긁어냈다. 오그라든 피부는 나를 자꾸 위로 잡아당겼다. 몸을 감싼 물이 끈적이고, 귀에는 압박이 들어왔다. 어지러운 시야 속에서도 소중한 장치를 찾기 위해 내 손길은 결연해졌다. 나는 물속에서 마치 잃어버린 세계를 찾아가는 모험가처럼 허우적거렸다.

마침내 가슴에 심한 압박이 느껴졌다. 나는 급히 위로 올라갔다. 그리고 수면 밖으로 나오자마자 격렬하게 숨을 쉬었다. 뒤이어 제나도 물에서 솟구치듯 올라왔다.

찾았다!

그녀는 한 손에 휴대폰을 든 채 나에게로 왔다. 그리고 숨을 헐떡이며 말했다.

주머니 있지?

응.

그녀는 내게 휴대폰을 맡겼다. 나는 그녀의 휴대폰을 바지 주머니에 깊숙이 찔러 넣었다. 그리고 위로 쳐다보며 외쳤다.

휴대폰 찾았어! 우리 이제 올라간다!

나는 제나의 손을 꽉 붙잡고 그녀를 내게 끌어당겼다. 그리고 천장을 쳐다보며 발을 계단에 걸쳤다. 하지만 그 순간 폭풍 같은 소리가 울려 퍼졌다. 그리고 걷잡을 수 없는 물 폭탄이 사정없이 제나와 나를 끊어 놓았다. 큰 파도와 함께 물은 우리 주변을 휘감고, 평화로웠던 수면은 거친 파동들로 삽시간에 변했다. 물은 우리 몸 주위에서 치솟아 올라오고, 그 힘은 끊임없이 우리를 밀고 끌어당기며 저항할 수 없는 강한 압력을 행사했다. 제나의 비명이 들렸다. 하지만 나의 몸도 이미 계단을 벗어나 있었다. 엄청난 물줄기 속에 몸이 휘청거리며 곤두박질쳤다. 나는 필사적으로 헤엄쳐 위로 오르려고 노력했다.

힘차게 수면을 헤쳐 나가며 거친 파도와 싸우는 동안, 물의 저항과 함께 몸은 무거워지고 숨이 가빠졌다. 머리 위로 물이 쏟아져 나를 눌렀다. 어둠 속에서는 우리의 호흡소리와 물결 소리가 귀를 찌르며 울렸다. 간간이 허용된 공간에서 숨을 쉬기 위해 머리를 돌렸다. 하지만 계속해서 수영 동작을 반복해야만 했다. 물살은 나를 끊임없이 밑으로 끌어당겼다. 나는 마지막 힘까지 짜내 헤엄쳤고, 그 순간의 긴장과 절망은 영원 속에 갇힌 시시포스처럼 느꼈다.
마침내 나는 탱크 벽면에 있는 계단에 다다랐다. 나는 탱크 벽면을 붙잡고 올라갔다. 그사이 물은 계속해서 차올랐다. 나는 제나에게 외쳤다.
제나! 괜찮은 거야?

하지만 나의 소리는 으르렁거리는 물 폭탄에 묻혔다. 숨쉬기를 위해 머리를 들었을 때, 수면 위로 솟아오르는 거품과 거친 파도만 보였다. 탱크의 벽면은 강렬한 물의 충돌과 함께 진동하며 우리 주변에 울림을 일으켰다. 눈앞의 목표는 생존이었고, 그것을 위해서는 모든 것을 걸어야만 했다.

삶이 무가치하다고? 아무런 의미가 없다고? 젠장, 너 지금 꼬락서니를 봐! 그저 살려고 생똥을 싸고 있구먼.

그저 한심하기 짝이 없는 인생이었다.

마침내 벤야민이 나의 손을 잡았다. 그는 필사적으로 나를 끌어 올렸다. 내가 탱크 밖으로 몸을 빼자마자 나는 그에게 소리쳤다.

제나! 제나는? 제나는 찾았어?

아뇨! 아직 못 찾았어요!

벤야민은 심각한 표정으로 플래시를 탱크 속으로 이리저리 비추고 있었다.

물탱크의 물이 거의 다 차올랐을 때 갑자기 뚝 하고 물이 끊어졌다. 갑자기 정적이 찾아왔다. 하지만 여전히 그녀가 보이지 않았다.

젠장! 도대체 어디로 사라진 거야?

나는 다시 물로 들어갔다.

벤야민! 내 주위로 플래시를 계속 비춰줘! 알았지!

네, 알겠습니다.

나는 탱크 입구에서 가장 먼 쪽부터 뒤지기 시작했다. 그리고 마침내 그녀의 흔적을 발견했다. 물탱크 끝 모서리에 그녀는 잠겨 있었다. 나는 살살 헤엄쳐 그녀를 끌고 나왔다. 하지만 그녀는 눈을 하늘로 뜬 채 숨이 멈추어 있었다.

벤야민과 나는 힘을 합쳐 그녀를 탱크 밖으로 끌어냈다. 나는 제나를 반듯하게 눕히고 흉부 압박과 인공호흡을 번갈아 가며 실시했다. 하지만 그녀의 의식은 여전히 돌아오지 않았다. 이번에는 벤야민이 같은 방법으로 응급처치를 했다. 우리는 한동안 돌아가며 그 짓을 반복했다. 하지만 끝내 제나를 살리지는 못했다. 다음이 문제였다.

이제 어떡해야 하나요?

나도 모르겠어. 하지만 지금 우리가 경찰에 신고하면 볼 것도 없이 감옥에서 몇 년은 썩어야 할 거야.

그럼?

벤야민. 잘 들어! 너는 어차피 퇴근한 상태잖아. 그리고 너가 호텔 옥상에 있다는 사실을 아는 사람은 아무도 없어. 그렇지?

물론입니다. 다들 제가 집에 간 걸로 알고 있습니다.

그럼 됐어. 너는 그냥 조용히 뒷문으로 호텔을 빠져나가는 거야. 누구에게도 들키지만 않으면 돼. 알겠지!

그럼 제나는? 제나는 어떻게 할 건가요?

그냥 물탱크에 집어넣을 거야.

그럼 당신은 어떡할 건가요?

벤야민이 의심을 잔뜩 묻은 표정으로 나를 쳐다보며 물었다.

이 호텔에 내가 묵었다는 증거는 아무것도 없어.

그게 무슨 소리인가요?

나는 호텔에 숙박할 때 항상 가명으로 해. 그러니 나를 추적하지는 못할 거야.

우리는 룸으로 돌아왔다. 그리고 나는 제나의 증거를 모두 지웠다. 나는 제나의 가방을 들고 우리는 뒷문으로 해서 호텔을 빠져나갔다. 그리고 뒤로 돌아보지도 않고 서로는 헤어졌다.

나는 빠르게 두 블록 정도를 걸은 다음 택시를 탔다.

어디로 모실까요?

가까운 전철역으로 가주세요.

아, 첫차 타시려고요?

네, 맞습니다.

나는 택시 안에서 차창에 비친 호텔을 천천히 쳐다봤다. 특급 호텔의 네온사인이 동터오는 흐릿한 햇살 속에 번졌다. 나는 제나의 가방을 열어 속에 든 돈을 확인했다. 두둑하였다. 안개비가 쓸쓸하게 차창에 달라붙어 흘러내렸다. 그 순간, 나는 호텔 물탱크에 제나가 쏟은 오물을 생각했다. 그리고 그녀의 말을 떠올렸다.

무척 많은 돈을 벌거나 대단한 권력을 간직하거나 얼굴이 여러 사람에게 알려져 자긍심이 대단한 사람들에게는 좀 위해가 되는 뭔가를 해도 돼. 난 그렇게 생각해. 그들에게는 좀 가혹해도 된다고 느껴. 무슨 말인지 알겠지?

버스 민폐녀
남킹 슬픈 이야기
남킹 컬렉션 #027

남킹 컬렉션 #018
천일의 여황제
세빈의 남자
남킹 판타지 소설

천일의 여황제 #1

세민

대(大)나라의 요식이 황제에 오를 때 그의 나이는 불과 네 살이었다. 그러므로 섭정이 불가피하였다. 대신들은 황제의 섭정으로 요식의 친어머니인 어순 부인을 옹립하였으나, 그녀는 황제 즉위 2년 만에 원인을 알 수 없는 병으로 사망하였다. 그리하여 요식의 숙부인 걸창군이 섭정을 맡았으니, 그 해는 대나라가 천하를 통일하고 맞이하는 999년째 되는 용불연이었다. 하지만 이듬해, 음란죄로 쫓겨났던, 전 황제의 후궁인 세빈이 일곱 동생의 도움을 받아 쿠데타에 성공하였으니, 결국 대나라는 역사 속으로 사라지고 세(世)나라가 개국을 하였다.

세나라의 황제로 등극한 세빈은 우선, 궁에 남아있던 모든 대신과 시중을 참수하고, 각 고을에 명하여, 세나라에 반감을 보이는 모든 선비와 관료를 변방의 전쟁터로 보내 죽게 하였다. 그리고 세나라의 땅을 일곱 등분 하여 그녀의 동생들이 다스리게 하였으니, 바야흐로 칠국일황의 시대가 열렸다.

세빈의 이름은 자안으로 미천한 출신의 사생아였다. 일곱 살이 될 때까지 동네 장터를 떠돌며 동냥을 하거나 궂은 심부름을 하며 목숨을 유지하다가, 그때 당시 또래 여아들이 주로 팔려 가는 서커스 악단에 자발적으로 들어가 노래와 춤을 배웠다. 그녀는 특히 노래를 잘 불렀는데, 이 소문이 금방 퍼져 지나는 마을마다 그녀를 보러 구경꾼들이 몰려들었다. 그러던 어느 날 당대 권세가로 이름을 떨치던 화방의 집에 초청받아, 달 밝은 밤, 대청마루에서 풍악의 장단에 맞추어 그녀가 노래를 부르니, 화방의 장남인, 구빈이 감동하여 그녀를 수양딸로 입적을 하였다. 그때 그녀의 나이 16살이었고 구빈의 일곱 아들들보다 나이가 많았다.

구뷘은 비록 권세가의 집안 출신이었으나, 북쪽 지방의 토벌 대장으로 주로 외지만 떠도는 것에 불만이 있었고 야망이 큰 인물로, 그는 자기 딸을 황제의 첩으로 바쳤다. 세빈의 나이 스물이었다. 세빈의 노래 실력은 이미 장안의 화제였으므로 황제는 그녀를 기쁜 마음으로 품었으며, 한동안 매일 그녀의 노래 속에서 잠들었다. 하지만 다른 후궁에 비해 미색이 떨어지는 데다, 이듬해부터 줄줄이 낳은 세 명의 자식이 모두 딸이었고, 차츰 노래에도 싫증이 난 황제는 그녀를 멀리하게 되었다. 어느덧 10년의 세월이 흘렀고, 이제 세빈은 궁궐의 말단, 소박한 처소에서 잊힌 후궁으로 전락하고 말았다. 그때부터 그녀의 기행이 시작되었다.

그녀는 밤이 어스름해지기 시작하면 시종을 불러 장안의 남정네 중 골격이 튼튼하고 힘깨나 쓸만한 평민을 잡아다가 동침을 하고는 그들에게 침묵을 강요한 뒤, 돌려보냈다. 만약 이에 수긍하지 않을 것 같거나 입이 가볍다고 판단이 되면 은밀하게 죽이기까지 하였다. 그렇게 또 다른 10년이 흘러갔다. 아무리 뒷방의 잊힌 후궁이라고는 하지만 오랜 세월 이어진 이 괴상한 짓거리가 소문이 안날 수가 없는 법, 이 사실을 확인한 황제는 크게 분노하여 그녀와 그녀의 양아버지인 구뷘, 일곱 아들까지 모두 변방으로 귀양을 보내 버렸다. 황제는 사실 그녀를 죽이라고 명하였으나, 화방의 권세가 하늘을 찔렀으므로, 결국 대신들의 의견을 들어 그녀의 목숨만은 살려두었다. 이것이 화근이었다. 그때 만약, 그녀를 죽였다면 대나라는 멸망하지 않았으며 후에 <천일의 여황제>로 알려지게 되는 세빈의 역사는 존재하지도 않았을 것이다.

변방으로 쫓겨났다고는 하나, 구뷘은 용맹한 장수로 그를 따르는 군사들이 많았으며, 세빈은 일곱 동생의 정신적 지주로, 그들을 이용하여 영악한 계책을 세웠으니, 대나라 황제 섭정인 어순 부인을 시종을 시켜 독살하고, 황제의 숙부인 걸창군이 어순 부인을 죽였다는 헛소문을 퍼트렸다. 이에 전국 토호 세력이 진상규명을 외치며 들고 일어나자, 구뷘은 그들을 결집하여 한양으로 진격하였으며, 이에 맞추어 수도에 은밀히 들어와 있던 세빈이 일곱 동생의 군대와 함께, 수도군 방위사령관을 협박 및 회유를 하여, 결국 걸창군을 체포하여 죽이고 쿠데타를 완성하였다. 이듬해 국명을 세나라로 명하고 황제에 세빈이 등극하니 이 땅의 역사에 가장 어둡고 기이한 나라가 탄생하였다. 이를 두고 후세의 역사학자들은 한결같이 어둠이 광명을 집어삼키고 정의가 불의에 무릎 꿇은 <쇠락의 시대>로 정의하였다.

****

세나라의 황제는 개국하자마자, 수도를 대륙의 정중앙, 벌륜으로 정하고, 백만 평에 달하는 토지에 속한 모든 언덕과 토지를 갈아엎고 20만 평 규모의 궁궐을 지었다. 궁궐을 둘러싼 방벽은 모두 일곱 겹으로, 방벽 사이에는 깊은 수로를 파고 물을 채웠으며 수백 마리의 악어를 집어넣었다. 그리고 동서남북으로 100km에 달하는 8개의 도로와 수로를 각각 건설하였다. 그리하여 일곱 형제가 다스리는 일곱 개의 속국인 정, 을, 이, 병, 마, 횡, 준나라가 수도를 둘러싼 형태를 갖추었다. 이는 외부 세력의 어떤 침공에도 가장 안전하게 국권을 수호하고자 하는 계략에서 나온 것이었다. 다만 이 모든 공사를 진행하기 위해, 전국에서 수십만의 백성이 강제로 끌려와서 매일 수백의 생명이 사라졌으니, 그 원성이 하늘을 찌르고도 남았다.

한편, 구뷘은 이때쯤, 감정이 매일 오르락내리락하며, 심술이 났다가 주저앉는 듯, 그 심란한 마음이 그야말로 뒤죽박죽이었다. 그의 양녀가 황제가 되고 일곱 아들이 왕으로 등극하였으므로 외적으로는 더할 나위 없이 흡족한 상황이었으나, 자신이 애초부터 개국에 제외되어 뒷방 늙은이로 전락하였으니 심기가 좋지만은 않았다. 틀림없이 전국의 세력가들을 설득하고 규합하여 군대를 일으킨 것은 자신이었으나, 그가 무리를 이끌고 수도에 도착하기 전에 이미 모든 상황이 손쉽게 정리되고, 일사천리로 개국을 하면서, 그는 결국 군을 해산하고 돌아갈 수밖에 없었다. 그는 이제 하늘 아래 무소불위 권력가의 수장이지만, 실상은 무늬만 그런 것이지, 국정 참여도 배제된 상태였다. 게다가 그의 혈육인 일곱 자식 중 하나가 황제가 아니라 양녀가 그 자리를 차지하고 있다는 사실이 꽤 마음을 무겁게 만들었다.

그는 어느 날, 일곱 나라를 차례대로 방문하는 사절단을 만들어, 길을 나서게 되었다. 그의 표면적 방문 목적은 황제의 친서를 전달하고, 부자의 정을 돈독히 하자는 것이지만, 내심 아들의 심중을 파악하고 혹시 그중에 황제에 대한 불만이 있는 자라면, 후일을 도모하기 위한 발판을 마련하고자 함이었다. 그렇게 그는 약 일 년에 걸쳐 그의 모든 아들을 만났고, 그중에 다섯째인 마석이 야망이 매우 크다는 것을 발견하였다. 그리하여 오랫동안, 구뷘과 마석은 내밀한 연락을 주고받으며 그들의 군사를 키워나갔다.

한편, 세상의 모든 권력을 한 손에 쥐게 된 황제는, 제 버릇 개 못 준다고, 또다시 그녀의 밤을 채울 사내들을 찾기 시작했다. 하지만 이번에는 하늘 아래 무서울 게 하나 없는지라, 아예 대 놓고 그 짓거리를 하였다. 그녀는 우선, <기쁨조>라는 황제 직속 기관을 신설하고, 전국에 모집원을 보내 신체 건장하고 잘생긴 꽃미남 청년들을 뽑아 데려오도록 하였다. 선발된 이들은 궁궐에서 가장 화려한 혜월당에 몇 달 동안 기거하며 각종 안무와 기교, 예절을 연마하고 정력에 좋은 각종 산해진미를 강제로 섭취하였다. 그리하여 때가 되면, 황제의 부름을 받고 동침을 하게 되는데, 만약 황제가 만족하지 못하게 되면 그날로 처형을 당했다. 그런데 문제는, 황제의 본 모습이 변태에 사이코패스의 전형인지라, 그녀는 점점 피의 맛에 물들고 만족도는 턱없이 높아져, 그녀와 하룻밤을 보낸 거의 모든 청년이 형장의 이슬로 사라졌다. 그리하여 기쁨조의 모집원들은 전국을 돌며 더욱 악랄하게 청년들을 수배하기 시작했다. 그러자 웬만한 청년들은 살기 위하여 서둘러 장가를 가거나 국외로 도주하였으며, 재수 없게 모집원들에게 적발이 되면 엄청난 양의 돈으로 모집원들을 매수하는 사태도 일파만파 늘어났다. 어떤 이들은 자기 얼굴을 일부러 훼손하기도 하고 중요 부위를 절단하여 스스로 불구가 되기도 하였다.

마나라의 주도 횡택에 사는 정현도 일찌감치 이러한 소식을 접한 터라 하루하루를 살얼음을 걸으며 살고 있었다. 그는 시각장애인인 노모와 함께 외딴곳에 살고 있었는데, 워낙 찢어지게 가난한지라, 풍채

좋고 수려한 외모에도 불구하고, 나이 서른이 될 때까지 장가는 엄두도 못 낼 형국이었다. 그러므로 그저 모집원이 마을에 나타나지 않기만을 기도하며 하루하루를 불안에 보내고 있었다.

거짓과 상상
혹은
죄와 벌
남킹 장편소설
남킹 컬렉션 #002

신의 땅 물의 꿈
남킹 장편소설
남킹 컬렉션 #003

천일의 여황제 #2

정인

정현의 집안은 사실 몰락한 귀족 가문이었다. 그의 증조부는 대나라 외신의 총감부 수장으로 각국 사절단을 접견하고 통역을 담당하였다. 그는 이웃 나라들의 언어를 모두 이해하고 자유자재로 구사하였으며, 저 멀리 서역의 말과 글도 상당수 이해하는 수재였다. 그때 당시 대나라는 <세상의 중심>이라고 스스로 자부할 정도로, 광활한 영토를 통치하였고 정치, 문화, 예술 등 여러 방면에서 주변 국가를 선도하였다. 그러므로 외국 사절단의 왕래가 무척 잦았다. 그는 대나라 외교의 중심으로, 각종 행사를 주관하고 주요 회의에 참여하여 원활한 소통을 이끌었으며, 사교에서도 뛰어난 수완을 보여 대나라를 세상에 알리는 데 크게 이바지하였다.

덕분에 정현은 그의 나이 열여섯이 될 때까지 궁궐이 내다보이는 넓은 저택에서 풍족하고 행복한 유년 시절을 보냈다. 증조부의 직책은 대물림되어 그의 아버지, 이숙도 외교부의 중요 직책을 수행하였다. 그러므로 정현에게도, 일찍부터 그가 받게 될 직책에 합당한 공부를 하였는데, 바로 다른 나라 언어와 관습, 역사에 관한 것이었다. 그는 또한, 이미 5,000년 전에 멸종한 고대 종족의 언어도 익혔다. 왜냐하면 현대 언어 대부분이 고대어에서 유래하였으며, 여전히 고대어와 유사한 말을 하는 지역이 세상 곳곳에 존재하였다. 또한, 고고학적으로도 꽤 유용하였는데, 이 땅의 많은 곳에서 고대 유물이 끝없이 발굴되었기 때문이었다. 정현의 집안은 외교적 통역뿐만 아니라 고고학적 유물의 번역에도 상당히 깊이 관여하고 있었다.

사실, 정현 가문의 갑작스러운 몰락은 이 고대 유물과 밀접한 관련이 있었다. 어느 날, 정현의 아버지 이숙은 고고학 발굴 관장으로부터 상자 한 통을 받았다. 그동안 이숙은 발굴한 문서와 서책의 번역에 많은 도움을 주었는데, 그에 대한 감사의 표시로 받은 거였다. 그런데 그 상자 속에 담긴 것은 알록달록한 색깔의 알약이었다. 이번 발굴 장소에서 대량으로 나온 것인데, 효과 좋은 진통제 정도로 생각하고 이숙은 받은 거였다. 그런데 발굴팀 소속의 말단 직원이 이 약을 몰래 빼돌려 어느 귀족에게 팔았고, 그 귀족은 이것을 어느 후궁에게 몰래 진상하였다. 그런데 그 후궁이 다음날 즉사를 하고 말았다.

대나라에서 마약은 법으로 엄격히 금하는 물건이었다. 진상팀이 꾸려지고 발굴에 참여했던 관료 대부분이 관직을 박탈당하고 곤장을 맞고 오지로 귀양살이를 떠났다. 이숙에게도 조사가 들어갔는데, 사실 이숙은 상자를 받기는 하였지만, 그것을 열어보지도 않은 채, 창고에 보관 중이었다. 사실 그에게는 외교 관련하여 워낙 많은 선물이 들어오기 때문에, 대부분은 주위 사람들에게 나눠주거나, 귀한 것은 창고에 보관했다가 나라에 바치곤 하였다. 그러므로 이숙은 마약을 받은 사실을 기억하지 못하고 결백을 주장했다. 그런데 창고에서 약상자가 발견된 것이었다. 이숙은 항변하였지만, 물증이 나온 이상 죄를 면하기는 어려웠다.

그는 자기 잘못으로 집안 대대로 쌓아온 청렴한 선비 집안이 불경한 위선자로 몰린 것에 크게 상심하여 자결하고 말았다. 정현의 어머니 또한, 남편의 갑작스러운 죽음에 실성한 채, 거리를 배회하다 자신의 두 눈을 스스로 찔러버렸다. 집안의 식솔들은 화를 면하기 위하여 뿔뿔이 흩어졌다. 결국 노모와 정현만 남아 멀고 먼 외지로 쫓겨나고 말았다. 하지만 정현은 심지가 굳고 태생이 착한 청년이었다. 그는 조용히 노모를 살뜰히 보살폈으며, 비록 살기 위해서 여러 가지 잡일을 해야 하였지만, 공부도 게을리하지 않았다.
그러던 어느 날 마침내 <기쁨조> 모집원이 그에게 나타났다. 그는 어머니가 돌아가실 때까지만 보살피게 해 달라고 사정사정하였지만, 그런 게 통할 리가 없었다. 날이 갈수록 청년의 씨가 말라가는 상황이라, 모집원으로서도 정현을 잡아가지 않으면 당장 자기 목이 날아갈 판이었다. 결국, 어머니는 관청이 운영하는 양로원에서 보살피겠다는 약조를 받고, 그는 필요한 물품을 챙겨서 모집원과 함께 수도로 떠났다.
벌룬으로 끌려간 정현은 엄격한 신체검사를 받았는데, 최우수 판정을 받았다. 그리고 혜월당에 감금되었다. 그는 가장 좋은 방으로 배정이 되었는데, 근래에 최우수 판정을 받은 이가 드물기 때문이었다. 그는 이제, 마치 사형날짜를 기다리는 사형수 신세가 되었다. 황제의 부름이 곧 그의 사형집행일이었다.
****

정현은 궁궐에 머문 지 얼마 지나지 않아 세빈의 부름을 받았다. 그도 그럴 것이, 최근에는 쓸만한 총각들 씨가 말라, 그녀의 눈에 하나같이 성에 차지 않는 남자들 뿐이었으니, 정현의 등장은 삽시간에 소문이 날 수밖에 없었다. 그는 총감 내시의 안내에 따라, 먼저 욕탕으로 갔다. 그곳에서 온탕과 냉탕을 7회 반복한 다음, 얼굴 홈이 파인 나무 침대에 엎드려 때를 밀었다. 그렇게 30여 분 정도 몸의 모든 때를 구석구석 밀고 나서 온갖 향으로 가득한 밀실에 들어가 향기름을 발랐다. 몸이 마를 때쯤, 그는 비단으로 짠 잠옷을 걸치고 대기실로 갔다. 그때 정현은 자신이 지니고 다니는 조그마한 주머니에서 파란 알약 하나를 꺼내 삼켰다.
이윽고 밤이 되어, 모든 공사 업무를 마무리하는 타종이 다섯 번 울리고 나자 자그마한 동자 내시가 나타나 정현을 황제의 침실로 이끌었다. 그들은 모두 99개의 작은 문을 거쳐야 했는데, 문을 하나씩 지날 때마다 정현의 가슴은 걱정으로 졸아들었다. 마침내 황제의 침소에 이르렀다. 정현은 큰 절을 세빈에게 올리고 무릎을 꿇은 채 눈을 내리깔았다. 잠시 후, 침소 내시가 다가와 정현에게 속삭였다.

"얼굴을 들어 황제에게 보여라."
정현은 천천히 얼굴을 들었다. 반투명의 명주실 천이 천장에서 길게 내려와 세빈의 얼굴을 가리고 있었다. 세빈의 좌우 옆에는 우락부락하게 생긴 경비관들이 긴 칼을 차고 서 있었고
그녀의 앞에는 화려하기 그지없는 술병과 안주가 담긴 상이 차려져 있었다.
"좀 더 가까이 오너라" 세빈이 다정하면서도 엄숙한 목소리로 말했다. 정현은 무릎으로 한 걸음 한 걸음씩 앞으로 나아갔다. 그런데 그때, 그가 먹은 파란 약의 효과가 나타나기 시작했다. 그의 중요 부위가 점점 커지기 시작했다.
"좀 더 가까이…." 세빈은 답답한 듯, 조급한 목소리로 말했다. 정현은 발기한 모습을 감춘 채, 엉거주춤한 자세로 최대한 힘을 가해 앞으로 나아갔다. 점점 황제에게 가까워지면서 정현은 흘낏흘낏 세빈

의 얼굴을 쳐다봤다. 그러면서 속으로 생각했다.

'어떻게 저렇게 못생긴 얼굴로 후궁이 될 수 있었을까?'

세빈 앞에 엎드리고 있는 가장 가까운 시중과 비슷한 지점까지 왔을 때, 갑자기 칼이 정현의 목 가까이 쓱 들어오며 우렁찬 목소리가 울렸다.

"거기까지다. 멈추거라!" 정현은 서슬 퍼런 칼이 눈앞에서 번뜩이자 매우 놀라며 뒤로 물러났다. 그때 그만 그의 변화된 신체 부위가 도드라지게 나타났다. 이 광경을 본 세빈은 아주 만족스러운 표정을 지으며 말했다.

"근래에 보기 드문 놈을 데려왔구나. 이 자를 데려온 모집원에게 큰 상을 내리거라." 그러면서 황제는 고개를 두 번 끄덕거렸다. 그러자 동자 내시가 정현에게 다가와 속삭였다.

"봉축하옵니다. 합격이옵니다. 우선, 황제님께 해가 될 수 있는 어떤 물건도 지닐 수 없으므로 모든 옷을 벗으시기를 바랍니다. 저희가 세심히 살펴볼 것입니다."

"여 여기서요?" 정현은 낭패감이 삽시간에 들었다. 이렇게 많은 눈이 자신을 쳐다보는데, 이런 곳에서 발가벗겨진다는 게….

하지만 어쩔 수 없었다. 만약 한순간이라도 허튼짓했다간 그 자리에서 당장 경비관의 칼에 목이 날아간다는 것을 잘 알고 있었다. 옷을 모두 벗자 내시 2명이 달려들어 정현의 구석구석을 만지고 찔러보고 벌려서 살펴보았다. 이윽고 모든 검사가 다 끝나자 모든 시중은 물러났다. 하지만 경비관은 몇 걸음 뒤로 물러난 뒤 그 자리에 다시 버티고 서 있었다.

“이리 가까이 오너라…. 응….” 세빈은 기분이 좋은 듯, 간만에 콧소리를 내면서, 마치 연인에게 대하듯 다정스레 말했다. 정현이 다가가자 세빈은 그의 가슴에 안기며 속삭였다.

“너 물건이 예사롭지 않구나…. 호호호….”

****

새벽을 알리는 종소리가 3번 울렸다. 황제는 곯아떨어졌다. 하지만 정현은 한숨도 잘 수 없었다. 어찌 잠을 청할 수가 있겠는가? 날이 새면 쥐도 새도 모르게 사라질 운명인데…. 정현은 한없이 슬픈 모습으로 종소리를 들었다.

심해
남킹 장편소설
남킹 컬렉션 #004

파벨 예언서
떠오르는 위협
남킹 장편소설
남킹 컬렉션 #008

천일의 여황제 #3

개암

그날 오후, 궁궐은 뜻밖의 소식에 다들 수군대기 시작했다. 정현이 죽임을 당하지 않고 살아 돌아간 것이다. 변덕스럽고 변태스럽기 짝이 없는 황제의 근래 보기 드문 행위였다. 가뜩이나 쿠데타로 잡은 정권인지라, 세빈은 주위 사람을 아무도 믿지 않았으며, 더욱이 낯선 외부 사람은, 그녀의 욕망 충족이 끝나면 가차 없이 죽여야만 안심을 하였다. 그런 그녀가 정현을 멀쩡한 상태로 돌려보냈다는 것은, 궁궐의 고관대작에서 미관말직까지 상당한 호기심을 느끼지 않으려야 않을 수 없었다. 그날은, 궁궐을 출입하는 사람마다, 다들 서로의 소매를 붙잡고 정현에 관한 이야기를 엮어나갔다. 그리고 당연하게도, 그에 대한 여러 가지 헛소문이 퍼지기 시작했다. 어마어마한 물건의 소유자라는 것부터, 집안 대대로 내려오는 <침실의 기교> 혹은 <춘약>을 전수하였다거나, 전설로만 전해져오는, 고대 서적 <금병매>와 <옥보단>을 통달했다는 등등.

하지만 정작 정현 본인은 여전히 살얼음판에 선 위기의 남자일 뿐이었다. 황제가 하루 정도야 만족하여 봐줄 수 있겠지만, 그 변덕스러운 성질머리로 내일은 어떻게 변할지 알 수 없으니 그로서는 당연히 좌불안석(坐不安席)일 수밖에 없었다. 게다가 그가 지닌, <비아그람>이라고 불리는 파란 약은 이제 4개밖에 남지 않았다. 그는 이 약의 효능을 할아버지를 통해 배웠다. 고대 유물에서 가끔 발굴되는 것인데, 하찮은 것으로 생각하여 다른 사람들은 소홀히 다루었다. 하지만 고대어에 능한 정현 집안사람들은, 그 효능과 부작용을 해석하여 알고 있었으므로 그 약의 비밀을 가족에게만 몰래 전수하였다. 하지만 정현이 어찌어찌해서 이 약의 도움으로 앞으로 나흘은 더 버

될 수 있다고 치더라도 그 이후는 죽은 목숨이나 마찬가지였다. 그저 고통스러운 시간만 며칠 더 연장하는 것뿐이었다. 그는 침실에 드러누워 긴 한숨을 푹푹 쉬었다.

한편, 이 상황을 유심히 지켜보고 있는 환관이 있었다. 그는 환관의 우두머리인 <상선>의 신분으로 <개암>이라고 불렸다. 개암은 황제의 양아버지인 구뷘의 사람이었다. 개암은 어릴 때 지독하게 가난한 일곱 형제의 막내로, 허구한 날 집집이 돌아다니며 구걸을 하여 겨우 목숨을 유지하였다. 그러던 중 구뷘의 집에 노예로 팔려 가게 되었다. 구뷘은 그가 기억력이 비상하고 심지가 굳다는 사실을 알고는 그를 가까이에 두고, 다른 사람과 비밀스러운 메시지를 주고받는 하인으로 부렸다. 그리고 개암이 12살이 되던 해, 그를 궁궐의 환관으로 집어넣었다. 이는 그가 스스로 구뷘에게 부탁을 한 거였다. 개암은 야심이 있었다. 그리고 여러 권력자의 메시지를 전달하면서 그는 깨달았다. 최고 권력자와 가까이 있는 자가 결국 권력을 얻게 된다는 사실을….

개암은 모처럼 만에 기대를 걸 만한 소식을 구뷘에게 몰래 보냈다. 개암은 그동안 구뷘의 명령에 따라, 황제를 독살시키기 위한 기회를 끊임없이 찾고 있었다. 하지만 세빈은 보통내기가 아니었다. 그녀가 먹고 마시는 모든 음식은 조리과정부터 철저하게 감시하였고 완성된 음식이라도 아랫것들이 여러 번 임상 시험을 거친 후에야 비로소 수저를 들었다. 그녀로서는 어쩌면 당연한 조치일 것이다. 황제 스스로 정적을 독살시켜서 그 자리에 올라앉았으니 어찌 그 두려움이 없을 수 있겠는가? 개암은 구뷘에게 정현에 관한 이야기와 함께, 만약 정현이 황제의 총애를 받아 계속 그녀 가까이에 머물 수만 있다면, 대의를 펼칠 기회가 반드시 생길 것이라고 전달했다.

그날 밤, 개암은 약재를 담당하는 관에 일러, 정력에 좋다는 녹용, 도마뱀, 사람의 태반, 물개의 성기, 해마와 부추 씨앗을 넣은 정력탕을 짓게 하여, 손수 탕을 들고 정현을 만나러 갔다. 황제의 명이라고 속이니 다들 아무 의심 없이 길을 터주었다.

"자네가 정현인가?" 개암은 부드러운 목소리로 상냥하게 물었다.

"네, 그렇습니다만, 소인 뉘라고 불러야 할지?" 정현은 뜻밖의 손님에 당황한 표정으로 황급히 머리를 조아렸다.

"지금은 사적인 자리이므로 그냥 개암이라고 불러도 무방하네. 게다가 비록 몰락한 집안이라지만, 엄연히 나라의 중책을 조상 대대로 이어온 뼈대 있는 가문 사람인데 어찌 내가 경솔하게 아랫것 대하듯이 할 수 있겠는가." 개암은 정현의 얼굴을 찬찬히 훑어보며 자기 사람으로 만들 요령을 생각했다.

"그렇게 인정해주신다니 저로서는 그저 고마울 따름이옵니다. 하지만 나라의 국법을 어긴 죄인의 집안이므로, 그저 하루하루 속죄하는 심정으로 모진 목숨 연명할 뿐이옵니다." 정현은 다시 한번 깊숙이 고개를 숙였다. 그러자 개암이 천천히 그에게 다가가 그를 일으키고는 딱한 표정으로 말을 이어갔다.

"나도 이미 자네에 대하여 알아볼 것은 다 알아보았네. 그게 어찌 자네 아버지의 죄가 될 것이며 가문의 허물이 될 수 있단 말인가. 그저 그 상자에 담긴 알록달록한 약이 마약임을 제대로 파악하지 못한 아랫것들의 잘못이지 않겠나. 게다가 그게 설령 마약임을 알았다고 하더라도 그렇지. 자네 집안이 어디 그냥 보통 집안인가? 대대로 충신과 열녀를 배출하고, 나라와 백성을 위한 한결같은 마음으로, 무슨 일이든 맡은 바 임무에 지극정성을 쏟으니, 하늘도 알고 땅도 알고, 심지어 변방의 작은 벼슬아치들도 존경을 마다하지 않으니, 이 어찌 자네가 감내하여야 하는 이 현실이, 작은 죄에 대한 벌로 합당하다 할 수 있겠는가? 그러니 이 깊은 궁궐에서 하찮은 직책을 맡은 나 같은 사람에게조차도 자네의 신세가 그저 안타깝고 한스럽게 느껴질 뿐이라네." 개암은 정현의 두 손을 꼭 잡으며 지긋이 그를 쳐다봤다. 정현은 개암의 위로에 그동안 참고 참았던 눈물이 폭포수처럼 쏟아졌다.

"그저 소인은 소경이 되신 제 어머니를 끝까지 모시지 못한 불효에 가슴이 미어질 뿐이옵니다." 정현은 개암에게 쓰러질 듯이 안기며, 파리보다 못한 자신의 처지와 어머니에 대한 애절한 그리움을 나타냈다. 그렇게 두 사람은 말없이 한참을 부둥켜안았다.

이윽고 정현의 울음이 잦아들 무렵, 드디어 개암은 그의 방문 목적을 넌지시 비추기 시작했다.

"내 이제, 내가 자네를 이렇게 불쑥 찾아온 이유를 말하고자 하네. 이건 어찌 보면 자네의 효심과도 연관되어, 자네가 살아서 어머니에게로 가기를 바라는 마음에서 비롯되었다고 할 수 있네." 개암은 정현의 표정을 유심히 살피며 찬찬히 말을 했다.

"소인, 제 어머니를 다시 만날 수만 있다면 이보다 더한 기쁨이 어디 있겠습니까! 부디 어르신께서, 제가 살아서 돌아갈 방법을 꼭 알려주시기를 머리 쪼아 빕니다." 정현은 간곡한 표정으로 개암을 우러러봤다.
"우선, 자네가 꼭 약조할 것이 있네. 지금부터 내가 하는 이야기는 절대로 다른 사람 귀에 들어가서는 안 될 걸세." 개암은 비장한 표정으로 정현을 노려봤다.
"네, 그러겠습니다. 어르신 말씀을 제 무덤까지 가져가겠습니다." 정현은 두 손을 꽉 잡고 결연한 표정으로 고개를 끄덕거렸다. 개암은 크게 한숨을 쉬고는 정현의 귀에다가 입을 바짝 갖다 대고는 낮게 속삭였다.
"나는 상황제의 명으로 세빈을 독살하려고 한다네." 정현은 그 소리를 듣는 순간 가슴이 세차게 뛰기 시작했다. 그러고는 자신이 헛것을 들었나 싶어 재차 물었다.
"상황제시라면?" 정현의 물음에 개암은 더욱 낮게 속삭였다.
"그래, 구빈 나리님이시다." 정현은 영리한 사람이었다. 지금 개암이 말하고자 하는 뜻을 대번에 알아차렸다. 하지만 워낙 중차대한 일이므로 그가 확신이 들 때까지 묻지 않을 수 없었다.
"그렇다면, 나으리. 제가 지금의 황제를 독살하라는 말씀이신가요?" 정현은 부들부들 떨면서 개암에게 속삭였다.
"그렇다네. 자네만이 유일하게 황제 가까이 갈 수 있으며, 그 길만이 자네가 이 지옥에서 풀려날 수 있는 유일한 수단이라네." 개암은 정현의 어깨를 꽉 잡으며 독려를 하기 시작했다.
"하지만 나으리. 황제 앞에서, 저는 알몸이 되어 몸 구석구석을 시종들이 다 살피고 난 뒤에야 겨우 만남을 허락받습니다. 그런 제가 어찌 독약을 지닐 수가 있겠습니까?" 정현은 걱정스러운 얼굴로 개암을 살폈다.

"그건, 나도 잘 알고 있네. 황제는 영악할 뿐만 아니라 겁이 아주 많아 절대로 너에게 빈틈을 보이지 않을 걸세. 만약 그렇지 않았다면 벌써 내 손에 유명을 달리하였을 거야. 나는 오늘 밤 당장 자네에게 독약을 처방하진 않을걸세."

"그렇다면? 나으리…." 정현은 어리둥절한 표정이 되었다.

"그때가 틀림없이 올걸세…." 개암은 굳은 표정으로 정현의 손을 꼭 잡았다.

남킹 컬렉션 #017
스네이크 아일랜드
1권
죽고싶지만
남킹 판타지 스릴러

남킹 컬렉션 #019
이방인
남킹 장편소설

천일의 여황제 #4

서휼

개암은 시간을 확인했다. 궁궐의 업무를 마감하는 시간이 얼마 남지 않았다. 오늘도 황제가 정현을 찾는다면, 정현에게 연락이 올 시간이었다. 그는 정현을 다시 방문할 것을 약조하고는 돌아갔다. 다시 혼자가 된 정현은 좌불안석(坐不安席)이었다.

자신이 살기 위해서는 어쩔 수 없이 황제를 죽여야만 하는 작금의 현실을 어떻게 받아들여야 할지 갈피를 잡을 수 없었다. 왜냐하면 그는 벌레 한 마리조차 죽여 본 적이 없기 때문이었다. 대대로 뼈대 있는 학자 집안의 귀한 자식으로 태어나 그저 지금까지 보고 배운 것이라고는 학문과 언어 공부였으며, 귀양촌에서도 곡물 키우는 것 외에는 당최 무엇하나 해 본 적이 없는 그이기에, 이 땅의 최고 권력자를 자기 손으로 죽여야만 하는, 기괴하고 해괴망측한 자신의 운명을 도저히 용납할 수가 없었던 거였다.

그렇게 불안한 눈으로 서성거리고 있는 정현에게 어김없이 세빈이 호출을 하였다. 그는 이번에도 파란 약을 하나 꿀꺽 삼키고는, 마치 도살장에 끌려가는 소처럼 어기적어기적 황제에게로 나아 갔다. 그리고 변함없이 밤새도록 황제에게 시달림을 당하고 무사히 자신의 처소로 돌아왔다. 이제 남은 약은 3알. 정현은 그날도 개암이 나타나 주기를 학수고대(鶴首苦待)하였다. 하지만 개암은 그를 찾지 않았다. 그리고 다음 날도 그다음 날도, 무심한 개암은 정현을 잊은 듯 나타나지 않았다. 결국 모든 약을 소진한 그 날. 정현은 거의 자포자기(自暴自棄) 상태에다가 그동안 거의 뜬눈으로 밤을 지새우다 보니, 마침내 바닥에 쓰러져 깊은 잠에 빠져 버리고 말았다.

정현이 그렇게 한동안 시체처럼 꼼짝없이 잠을 자는 사이, 누군가가 그의 옆에 와서 그를 흔들어 깨우고 있었다. 정현은 눈을 뜨고서도 한동안 비몽사몽간을 헤맸다. 개암이었다. 그는 정현을 안쓰러운 표정으로 내려다보며 그가 완전히 정신이 깰 때까지 옆에서 조용히 기다렸다. 그 사이 정현은 무거운 몸을 힘겹게 곧추세우며 겨우 일어나 개암에게 예를 갖추었다.

"소인, 귀하신 분의 방문도 눈치채지 못하고 그만 심하게 잠이 들고 말았습니다. 부디 용서하여주시기를 바랍니다." 정현이 고개를 숙이고 머리를 조아렸다.

"오히려 내가 미안할 따름이네. 몇 날 며칠을 황제의 괴롭힘에 몸과 마음이 무척 상했을 터인데 편히 쉬는 자네를 이렇게 곤혹스럽게 깨웠으니…. 하지만 어쩌겠나. 시국이 시국이니만큼 자네나 나나 목숨 부지하려면 정신 바짝 차리고 다음으로 나가야 하지 않겠나." 개암은 부드러운 목소리로 고개 숙인 정현을 위로했다.

"지당하십니다. 나리. 사실 지난 며칠 동안 나리가 제 처소에 오기만을 기다리고 기다렸습니다." 정현은 간곡한 심정을 담아 답했다.

"나도 자네의 심정을 충분히 이해하고도 남네. 하지만 궁궐 곳곳에 염탐꾼을 심어 놓은 황제의 의심을 피하려면 이렇게 하는 수밖에 도리가 없었다네…. 정현…." 개암은 안타까운 표정으로 정현을 바라봤다.

"아무튼 이렇게라도 저를 찾아 주시니 소인 몸 둘 바를 모르겠습니다." 정현은 다시 감사의 예를 표했다. 예가 끝나자 개암은 몸을 정현에게 붙이고 천천히 정현의 귀에다 대고 아주 작게 소곤거리기 시작했다.

"자네는 혹시 서동을 아는가?" 개암의 물음에 정현도 개암의 귀에 대고 속삭였다.

"네, 들어서 알고는 있습니다. 고대 유물 발굴팀 직원으로 약을 빼돌리다 적발되어 옥살이하는 것으로 알고 있습니다." 정현은 푸념을 늘어놓듯이 말을 뱉었다. 그도 그럴 것이 서동이 처음 적발되는 바람에 발굴팀과 통역팀 직원들이 줄줄이 엮여 들어갔고 그 때문에 정현의 아버지도 화를 당하게 된 것이었다.

"그래, 자네도 익히 알고 있으리라 생각했네. 그 작자에 대해서…. 하지만 그 서동이 불과 한 달 전까지 황제와 잠자리했다는 사실은 자네도 모를 것으로 생각하네…." 정현은 눈을 동그랗게 뜨고 개암을 쳐다봤다.

"아니, 감옥에 있어야 할 서동이 어떻게?" 정현은 놀라움과 의구심을 동시에 느끼며 개암에게 물었다.

"서동이 감옥에 있었다는 것은 사실이네. 하지만 그동안 황제가 전국의 총각 씨를 말리지 않았겠나…? 그러니…. 기쁨조 모집원이 결국 감옥에 갇힌 자들도 조사하고 다녔지…. 그런데 그 서동의 허우대를 한 번이라도 본 사람이라면 그의 수려한 외모에 감탄하지 않을 수 없으니…. 어찌 모집원이 그를 그냥 두었겠나…. 결국 감옥에서 빼내어 황제에게 갖다 바친걸세…." 정현이 서동의 얘기를 듣자, 자신이 지금 겪고 있는 고통을 고대로 받았을 서동이 가련해지기 시작했다.

"그래서 지금 서동은 어떻게 되었습니까? 나으리…." 정현의 질문에 개암은 잠시 머뭇거렸다. 사실대로 말해야 하지만 정현이 지금 받는 고통을 더할 뿐인 현실이, 개암에게는 부담이 될 수밖에 없었다.

“자네가 얼추 예상한 대로라네….” 개암은 정현을 슬프게 바라보며 속삭였다.

“그럼 결국 죽임을?” 정현은 고개를 떨구었다.

“그래, 그렇게 되었지.” 개암은 정현의 어깨를 살포시 두드리며 위로를 대신했다.

“그런데, 나으리. 왜 저에게 서동의 얘기를?” 겨우 마음을 추스른 정현이 다시 물었다.

“거의 우리의 거사가 성공할 뻔했다는 게야. 서동이 며칠만 더 버텼으면….” 개암의 말에 정현은 다시 심장이 벌렁거리기 시작했다.

“그럼 서동이 황제와 하룻밤만 잔 게 아니었군요?” 정현은 개암의 말을 대번에 파악했다.

“그래, 서동은 황제와 무려 한 달간을 같이 지냈다네….” 그 말에 정현은 놀라지 않을 수 없었다.

“한 달이라고 하셨습니까? 나으리….” 정현은 지금 자신이 들은 게 농이 아니라는 것을 확인이라도 하려는 듯 서둘러 개암에게 질문을 던졌다.

“그래, 정확하게는 삼십 일이었네. 세빈이 서동에게 완전히 빠졌다고 우리는 그때 확신했지…. 그래서 독약을 준비하고 때를 기다리는 여유도 부렸지…. 하지만…. 황제의 변덕이 또다시 그녀를 살린 셈이야….” 개암은 아쉬운 표정을 지으며 정현을 바라봤다. 정현도 길게 한숨을 쉬었다. 서동의 죽음이 결국 자신을 옭아매는 사슬이 되었으니, 한 치 앞도 알 수 없는 사람의 운명이 너무 가혹하다고 정현은 느꼈다. 하지만 정현이 그냥 넋 놓고 있을 처지가 아니었다. 그래서 그는 지푸라기라도 잡는 심정으로 개암에게 물었다.

"나으리, 그런데 서동은 어떻게 한 달을 버틸 수 있었는가요?" 지금 정현에게는 이보다 더 귀한 질문은 없을 것이다. 하루라도 더 살아서 버텨야만 이 지옥을 벗어날 가능성도 그만큼 커질 수 있지 않겠는가.

"오늘 내가 자네에게 서동의 이야기를 꺼낸 것은, 바로 그 점을 일깨워주기 위함이네. 자네도 잘 알다시피 지금의 황제, 세빈은 미천한 출신의 사생아가 아니겠는가! 그런 천한 그녀가 순전히 노래 하나로, 자상하신 우리 구빈 나리의 수양딸로 입적이 되면서 오늘날 황제의 자리까지 오른 것이 아니겠는가! 그러니 그녀가 배움이 짧은 것은 두말할 필요도 없으러니와 글자를 읽을 줄도 쓸 줄도 모르는 문맹이라는 사실은, 문무 대신들 사이에 파다하게 퍼진 소문이라네. 다만 그에 대하여 세빈이 워낙 민감하게 반응하고 입단속을 요구하는 바람에, 딱한 백성들만 모르는 비밀이 되고 말았다네…." 개암은 더욱 낮은 소리로 정현에게 속삭였다.

"그렇다면 세빈은 어떻게 국정을?" 정현이 호기심을 보이며 개암의 입에 귀를 바짝 갖다 대었다.

"나랏일을 기록하는 예문관이 그 일을 담당한다네. 그러니까 황제에게 올라오는 모든 문서는 예문관 소속 관리가 황제 앞에서 낭독하고 그에 대한 황제의 답변을 기록하여 여러 대신에게 전달하는 방식이라네….”

“그럼, 세빈은 하루에 올라오는 그 문서들을 한 번만 듣고는 판단을 내린다는 말씀이신가요? 나으리.” 정현은 귀를 바짝 세우고선 개암의 답을 기다렸다.

“그렇지. 그러니 세빈의 기억력이 비상할 수밖에는. 무엇이든 한번 들으면 꼭 기억하려는 집중력 훈련을 어릴 때부터 자연스럽게 배우게 되었다는 거지…. 그녀의 장기인 노래 또한 그녀의 특기를 살리는 데 한몫했지…. 그녀는 한번 들은 노래는 절대로 잊지 않고 정확하게 따라 불렀으니 실로 놀라운 능력이 아니겠는가…. 오늘날 그녀가, 피 한 방울 섞이지 않은 일곱 동생을 수족 부리듯 할 수 있는 것도 그녀의 그 놀라운 기억력 때문인 거지….”

“하지만, 나으리. 세빈의 그 능력과 서동이 무슨 관계가 있는 것인가요? 더욱 궁금하기만 합니다. 소인은….” 정현은 머리를 갸우뚱하면 개암에게 물었다.

“내가 하고 싶은 말이 바로 지금부터라네…. 세빈은 자신의 기억력에 대한 자부심이 남다르지…. 그러므로 무슨 이야기든지 듣고자 하는 욕망 또한 엄청나다네…. 즉, 황제는 이야기를 좋아한다네…. 그게 서동을 한 달 동안 살린 거지….” 개암은 확신에 찬 표정으로 정현을 바라봤다.

블루 드래곤
744
납킹 시나리오
납킹 컬렉션 #006

리셋
Reset
남킹 SF 소설집
남킹 컬렉션 #010

이방인 #1

폴란드 2019년 9월 떠남

내 나이 마흔다섯이 되던 그해 어느 날, 나는 인생이 무척 짧고 무의미하다는 사실을 깨달았다. 그래서 죽기 전에, 내가 정말 좋아하는 한 가지에 몰입하기로 결심을 했다. 우선 나는 내가 좋아하는 것을 나열해 보았다.

게임, 축구, 낚시, 여자, 영화, 술, 당구, 춤, 여행, 맛집, 글쓰기

그리고 하나씩 하나씩, 덜 좋아하는 항목을 지워나갔다. 결국 여자만 남았다.

그래서 연애에 내 모든 것을 걸기로 다짐했다. 나는 앞으로 25년 동안, 즉 내 나이 60이 될 때까지, 찐하게 여자와 사랑에 빠지고, 깨끗하게 은퇴해서 후회 없는 여생을 보내기로 한 것이다. 그리고 이왕이면 월드 와이드하게 전 세계 여인들과 애정 행각을 벌이기로 마음을 먹었다.

하지만 나는 금수저도 아니고, 억대 연봉의 전문직을 가진 것도 아니며, 투자의 귀재도 더더욱 아닌 신분이므로, 벌어놓은 돈이 그다지 많지 않았다. 그러므로 전 세계를 돌아다니는 게 가능한 종류의 직업이 필요하였다. 그래서 해외 취업 사이트에 들어가서 자세히 검토해 봤다.

특정 국가나 일부 지역에서만 필요로 하는 직종이 아니라, 범용적으로 전 세계에서 두루 모집하는 직업군을 대충 추려보니 다음과 같았다.

프로그래밍, 건설, 여행, 식당

그리고 하나씩 하나씩, 점검해 나갔다.

프로그래밍 : 나는 베테랑 프로그래머다. 하지만 책상에 꼼짝없이

앉아 하루 15시간씩 작업하는 게 날이 갈수록 싫어졌다. 나는 몸을 움직이고 싶다.

건설 : 내 체력으로는 한 달 이내에 쓰러진다.

여행 : 길치에 가까운 내가 가이드를? 길에서 비명횡사한다.

결국 식당만 남았다.

그래서 다음날, 곧바로 요리학원과 영어학원에 등록했다. 나는 육 개월 동안 한식, 일식, 중식 조리 기능사 자격증을 차례대로 땄다. 그리고 백종원, 고든 램지 요리 유튜브를 열심히 봤다. 게다가 영어도 웬만한 의사소통을 할 수 있을 정도로 익혔다. 그렇게 나는 모든 준비를 마쳤다.

나는 한글, 영문 이력서를 멋있게 작성했다. 비록 요리 경험은 없지만, 성실, 근면하고 빨리 배우고 성격도 무척 좋다고, 침이 마르게 자화자찬했다. 그리고 전 세계 모든 나라에 있는 한인 식당에 이력서를 뿌렸다. 그리고 시간 나는 대로, 수많은 만남 앱을 연구 조사했다. 그중에 가장 괜찮은 만남 앱 3개와 채팅 앱 5개를 추렸다.

한 보름쯤 지나니 폴란드에서 연락이 왔다. 할머니 사장이었다. 급여는 생각보다 작았지만, 숙식 제공이 되었다. 우선 경력을 쌓는 게 중요했으므로, 나는 무조건 빨리 가겠다고 말했다. 나는 가장 저렴하면서도 빨리 출발할 수 있는, 항공권을 예매했다. 2주 뒤였다. 그렇게 나는 내 생에 첫 해외여행을 하게 되었다.

폴란드 바르샤바 쇼팽 공항을 거처, 브로츠와프시 코페르니쿠스 공항에 도착한 것은 늦은 오후였다. 수속을 마치고 공항 홀에 나와보니 한 젊은 외국 청년이 <할매 식당>이라고 적힌 팻말을 들고 있었다. 나는 녀석에게 손짓했다.
남?
예.
팔로우!
청년은 나의 캐리어 2개를 덥석 잡더니 재빠른 속도로 주차장으로 끌고 갔다. 나는 잰걸음으로 그를 뒤따랐다. 무척 빨랐다. 나는 헉헉거리며 따라갔다. 넓은 야외 주차장에는 듬성듬성 차들이 놓여 있었다. 그는 마치 우리가 은행 털이범이라도 되는 양, 잽싸게 차 트렁크에 나의 짐을 싣고는 시동을 걸었다.
나를 태운 차는 빠른 속도로 달렸다. 나는 그에게 말을 걸어 보았지만, 그는 영어를 한마디도 알아듣지 못했다. 결국 우리는 뻘쭘하게 경치나 쳐다보면서, 약 30분 정도를 달렸다. 나중에 안 사실이지만, 그의 이름은 이반이었고 벨라루스 출신이었다. 그는 도시락 및 요리 재료 배달과 주방 보조를 하였는데, 무슨 이유인지는 모르겠지만, 내가 온 지 두 달 만에 쫓겨났다.
식당은 생각보다 무척 크고 썰렁했다. 하지만 <할매 식당>이라는 간판은 어디에도 없었다. 대신 입구에 <I Love Food>라는, 전혀 어울리지 않는 예전 간판이 붙어 있었다. 홀에는 여자 직원 다섯 명이 열심히 청소하고 있었고, 주방에는 한국인 쉐프가 닭을 튀기고 있었다. 할머니 사장은 보이지 않았다. 나는 쉐프와 인사를 나누고 나머지 직원과도 말없이 악수를 교환했다.
쉐프는 송 실장으로 불렸다. 다섯 명의 여자 이름은 차례대로 <올라>, <크리스티나>, <제니아>, <나탈리아>, <안나>였다. 모두 우크라이나 출신이었다. 세 명은 젊고 두 명은 나이가 들어 보였다. 젊은 올라는 작고 말랐으며 비슷한 또래의 크리스티나는 크고 뚱뚱했다. 둘은 무척 친한지 꼭 붙어 있었다. 제니아는 삼십 대쯤 보였고 미소가 매력적이었다. 나탈리아는 사십 대쯤 되었고, 배가 나왔다. 하지만 주먹만 한 얼굴에 큰 눈과 코를 지녔다. 안나는 거의 할머니에 가까웠다. 성깔도 있어 보였다.
나는 곧바로 집을 배정받았다. 숙소는 식당에서 걸어서 10분 거리에 있는 10층짜리 주상 복합아파트였다. 1층에는 <자브카>라는 편의점과 스시 레스토랑, 미용실, 제과점이 있었다. 나는 9층에 배정받았다. 내가 배정받았다는 표현을 쓰는 이유는, 우리 식당에서 운영하는 방이 꽤 많았기 때문이다.
<할매 식당>은 대규모 건설 현장의 공사장 인부 전용 식당이었다. 한국에서 건설 인력이 도착하면, 식당은 그들에게 하루 세 끼 식사와 잠자리를 제공하는 거였다. 심지어 출퇴근 차량도 제공하였다. 우리 식당은 약 100명 정도의 고정 고객을 받고 있었다. 지금은 건설 막바지라서 손님이 많이 줄었다고 하였다. 많을 때는 200명 정도 되었다고 한다.
방은 작지만, 최근에 신축한 듯 깨끗하고, 세간살이는 모두 갖추고 있었다. 짐을 내려놓고 창문을 열어 밖을 보니, 맞은 편에 태극마크가 선명한 한국 식품점이 보였다. 비행기로 15시간 넘게 날아서 온 외국이지만, 마치 한국의 중소도시를 방문한 기분이 들었다. 나는 그날 시차 적응을 위해 일찍 잠자리에 들었다. 하지만 '자다 깨다'를 반복하였다. 그렇다고 기분이 나쁜 것은 아니었다. 긴 여행의 피로와

새로움에 대한 설렘, 그리고 앞으로 겪게 될 흥미진진한 나의 미래에 대한 기대감이 복합적으로 나를 들뜨게 했다.

나는 새벽 4시에 기상했다. 그리고 5시에 식당으로 출근했다. 나의 근무시간은, 오전 5시에서 오후 5시까지, 총 12시간이었다. 그리고 일주일에 한 번, 돌아가면서 쉬었다. 예전 한국에서의 근무 환경에 비하면 많이 열악한 편이지만, 주방 초보자로서 내가 선택할 수 있는 여지는 없었다. 어느 정도 경력이 쌓일 때까지는 참을 수밖에 없었다.

아직 해뜨기 전이라 밖은 어두웠다. 날은 약간 쌀쌀했으나 공기는 맑았다. 2차선 도로와 트램 철길이 나란히 뻗은 길을 따라, 나는 조심스레 걸어서 식당으로 갔다. 지나가는 차량과 트램은 보이지 않았다. 식당 입구에 도착하니 여자 2명이 담배를 피우고 있었다. 올라와 크리스티나였다.

나를 보더니 환한 미소를 지으며 내게 담배 한 개비를 권했다. 나는 담배를 끊은지 10년이 다 되어 가지만, 외국에서 맞이하는 첫날, 그것도 낯선 여인들과 마주하다 보니, 참을 수 없는 흥분과 설렘 속에 선뜻 담배를 받아 입에 물었다. 올라가 라이터를 켜 내게 내밀었다. 나는 담배를 일단 살짝 빨아 보았다. 생각보다 무척 순한 맛이었다. 기침도 나지 않았다. 나는 이제 자신 있게 깊게 담배를 빨았다. 그러자 갑자기 머리가 핑하며 도는 게, 하마터면 크리스티나 쪽으로 쓰러질 뻔하였다.

아저씨! 오늘 기분이 어때? 올라는 영어로 내게 물었다.

오늘? 최고지! 나는 엄지손가락을 척 들어 보였다.

그녀들은 뭐가 좋은지 깔깔거리며 웃었다. 나는 그 순간, 나의 선택 - 무조건 외국으로 가자 -에 대한 대단한 만족감과 자부심을 느꼈다. 꿈과 모험이 가득한 신비스러운 환상이 내 눈앞에 펼쳐졌다. 나는 어쩌면 그때 느꼈는지도 모르겠다. 나의 첫 외국인 여자친구가 생길 수도 있다는 사실을...

우리는 그렇게 사이좋고 진하게 각자 담배 한 개비를 피우고 업무를 시작했다. 나의 첫 미션은 달걀후라이였다. 내 앞에 30개짜리 계란판이 3층을 이루고 있었다. 즉, 적어도 90개의 후라이를 해야 하는 것이다. 올라가 한국에서 가져온 휴대용 가스레인지 2개를 나란히 놓았다. 그리고 내 옆에 선 채 먼저 시범을 보였다. 그녀는 양손에 달걀을 한 개씩 들고는 서로 부딪혀 깬 다음 능숙하게 큰 프라이팬에, 알이 중앙에 가게 하여 동그랗게 놓았다. 그녀는 계속해서 모두 8개의 달걀을 한꺼번에 굽기 시작했다. 나는 아직 왼손이 부자연스러워 오른손에 달걀 한 개를 살짝 쥐고는 프라이팬 모서리에 달걀을 부딪친 다음 살포시 팬에 풀었다. 나의 후라이는 모양이 제각각이었다.

나의 서툰 모습을 지켜보던 올라와 크리스티나는, 서로가 빠르게 말을 주고받으며 계속해서 웃어 제꼈다. 그러더니 어느새 크리스티나의 한 손이 내 어깨에 올라가 있었다. 나는 그 순간 삶의 기쁨을 만끽했다.

사랑 그 쓸쓸함

에 대하여

서글픈
나의 사랑
남킹 장편소설
남킹 컬렉션 #025

이방인 #2

폴란드 2020년 3월 제니아

복도에 들어서자 금박의 천장이 얼음처럼 반짝거린다.
제니아는 황홀한 듯, 나의 팔을 끌며 조심스레 푹신한 카펫을 밟고 나간다. 레스토랑은 북적였고, 소음이 Niles Cooper의 피아노 소리를 죽이고 있었다.
테이블의 모서리를 사이에 두고 앉았다. 크게 곡선을 그린 노란 조명 속에, 여자는 실크 슬립 원피스로 나를 응시한다. 그녀의 짙은 인조 속눈썹이 욕망을 자극한다. 테이블을 부드럽게 감싼 천에서, 늦은 밤 그녀의 잠꼬대를 듣는 은밀한 의심이 묻어있다.
적포도주. 여자는 입꼬리를 올리며 메뉴에 적힌 영어를 조심스레 읽는다.
나는 메뉴에 적힌 수십 가지의 포도주 이름 중, 눈에 잡히는 대로 하나를 집어 주문을 넣었다. 나는 그녀에게 내가 두려워하는 일들이 무엇이며, 그런 일들이 언젠가는 우리가 아프게 할 수도 있다는, 어찌 보면 슬픈 예견 같을 것을 제시하며 얘기해주고 싶은 충동을 느꼈다.
하지만 입에서 나온 이야기는 사랑해. 이 한마디뿐이었다.
****
케이크와 보르도 와인 위로, 행복을 들여다보듯, 눈망울이 반짝인다.

공간에서 샤브리에의 장중하고 이국적인 화음이 터져 나왔다.

그녀는 조용히 포도주를 홀짝였다. 그녀는 나를 보고 웃다가, 다시 주위를 천천히 살피며 잔을 집어 들었다. 그녀가 주위를 살필 때면,

안타까움이 전해진다. 하고 싶은 말이 입안에 가득한 데, 결국 시선을 돌리는 것 외에는 아무것도 할 수 없는 것이다. 그녀와 같이 담배를 피울 때도, 몇 초간의 눈 맞춤과 키스 외에는 우리는 줄곧 주변을 둘러본다.

그녀는 영어를 모르고, 나는 러시아어를 모른다.

나는 여인의 향기를 벗어날 수가 없다. 애초에 적고 넘침만 있었을 뿐, 사랑이 사라진 메마른 대지는 존재하지도 않았다. 나는 그저 사랑에 휘둘리는 그런 삶을 원한 것이다. 원래 그렇게 태어난 것이다.

그녀는 조용한 성격이지만 말하기를 좋아했다. 어찌 보면 우크라이나 사람들의 특징처럼 보이기도 했다. 많이 떠들고 느긋하며, 경쾌한 음악만 들으며, 남녀 상관없이 술과 담배를 즐기고 내일을 걱정하지 않아 보였다.

나는 제니아가 좀 영악했으면 하고 바랄 때가 있다. 그녀는 주방에서 씻고 닦고 자르고 훔치는 단순한 일을 끊임없이 찾아, 그 속으로 들어가 버린다.

마치 일을 하는 것이 하지 않는 것처럼 보일 만큼 자연스러웠다. 그녀는 일부러 쉐프 눈에 들려고 애쓰지도 않았다. 곳곳에 그녀의 세심한 배려가 느껴지고 정돈된 식탁과 조리실이 눈에 띄게 안정감을 제공하였다.

내가 윙크를 하면 그녀는 어깨를 살짝 으쓱거리며 밝은 표정을 짓곤 하였는데 대부분은 일에 대해서 너무도 진지하여 나를 알아채고도 못 본 척 넘어가곤 하였다. 그럴 때마다 나는 절로 한숨을 내뱉곤 하였는데 사람을 사랑하는 일이 어쩌면 쓸쓸한 것처럼 느껴졌다.

빨리빨리. 내가 가장 혐오하는 말이지만, 그녀는 가장 빨리 배웠다. 당연히 매일 듣는 말이니 귀에 익을 수밖에 없으리라.
그리고 그녀는 지나치게 열이 많았고 나는 추위에 민감했다. 그녀는 늘 팬티 하나만 걸치고 잤으며, 이마저도 한 번씩 벗고 잤다. 아침에 그녀를 깨우러 가보면, 늘 허벅지 한쪽은 이불 위에 올려져 있었다.

그녀는 친구나 가족에게 전화할 때면 생기발랄함으로 폴짝거렸다. 항상 긴 통화가 이어졌다. 어떤 날은 호텔에서 잠들기 전까지 전화만 하였다. 나는 그녀를 기다리다 지쳐 잠이 들었고, 그녀는 잠든 나를 깨우며 내 품에 파고들었다.
나는 항상 그녀가 기억할 만한 멋진 사랑 표현을 전달해주고 싶었다. 지나간 멋진 순간들을 아우르고 다가올 행복을 암시할 수 있는 그런 문장들 말이다. 하지만 내가 결국 제시하는 것들은….

<사랑해>
<당신이 좋아>
<당신과 섹스하고 싶어>
이 정도뿐이었다.
내가 보내고자 하는 뜻이, 번역기 앱에서 어떻게 해석되는지를 확신할 수 없기 때문이다.
외롭고 지치고 우울과 환상이 교차하고, 지나치게 민감하다가 더없이 너그러이 그녀를 감싸는 날카로운 감정들의 뭉치 속에서 헤매기 시작한다.

가슴속에 무엇이 있는지 알 수 없는 상태가 되곤 하였다. 막힌 곳을 뚫고, 훤히 들여다보고 싶은 충동은, 늘 그녀와 함께하는 시간 동안 지속하였다.

처음에는 자신에게 신경을 써준다는 일종의 행복감에 물든 상태였다면, 지금은 알 수 없는 미궁에서 보내는 얄팍한 신호에 민감하게 감정을 앉혀 놓고는, 그 불안감에 휘둘리는 왜소한 자신을 바라다보는 것이다. 어쩌면 이건 당황스러운 사랑의 속성인지도 모르겠다. 아니면 사랑으로 변장한 편협함일 수도 있겠다. 그게 무엇이든, 이건 고통이다. 하지만 행복이다.

여자는 울지 않고 나는 눈물이 잦았다. 그녀는 자신의 표정과 태도, 미소와 화냄이 누군가의 슬픔과 기쁨이 될 수 있다는, 지극히 당연한 사실에 민감하게 반응하는 남자를 이해하는 노력은 그다지 하지 않아 보였다. 그보다는 오히려 시간의 치유에 맡겨버리는 식이었다.

그저 나는, 삶을 지배했던 고요에서 뛰쳐나와, 불안하고 걱정적이며 단순한 것에 휘둘리고 작은 일에 편협함을 나타내는, 소위 사람을 사랑하는 시간에 다시 종속되었다는 사실에 고마울 따름이다.

그녀는 나를 정말 사랑하는 걸까? 아니면 돈 때문에…?

그러고 싶지 않지만, 우리는 쓸데없이 극과 극의 판단을 놓고 괴로워한다. 그래. 얼마든지 이렇게 할 수 있는 거다. 당신을 사랑하지만,

돈이 필요하기에 더욱 사랑하게 되었다고.
무엇으로도 방해할 수 없는 욕망. 쭉 늘어선 도로에 삐져나온 들풀. 바람을 이고 서성거리는 곳으로, 사각거리는 소리가 아스라이 들려온다. 제니아는 늘 내게 다가와 사랑스러운 미소를 머금고 볼을 꼬집곤 하였다. 나는, 돌아서면 낯선 존재로 변하는, 그저 한때의 열병 정도로만 생각했다.
하지만….

눈물이 당신의
볼을 타고
브런치 스토리
남킹 컬렉션 #033

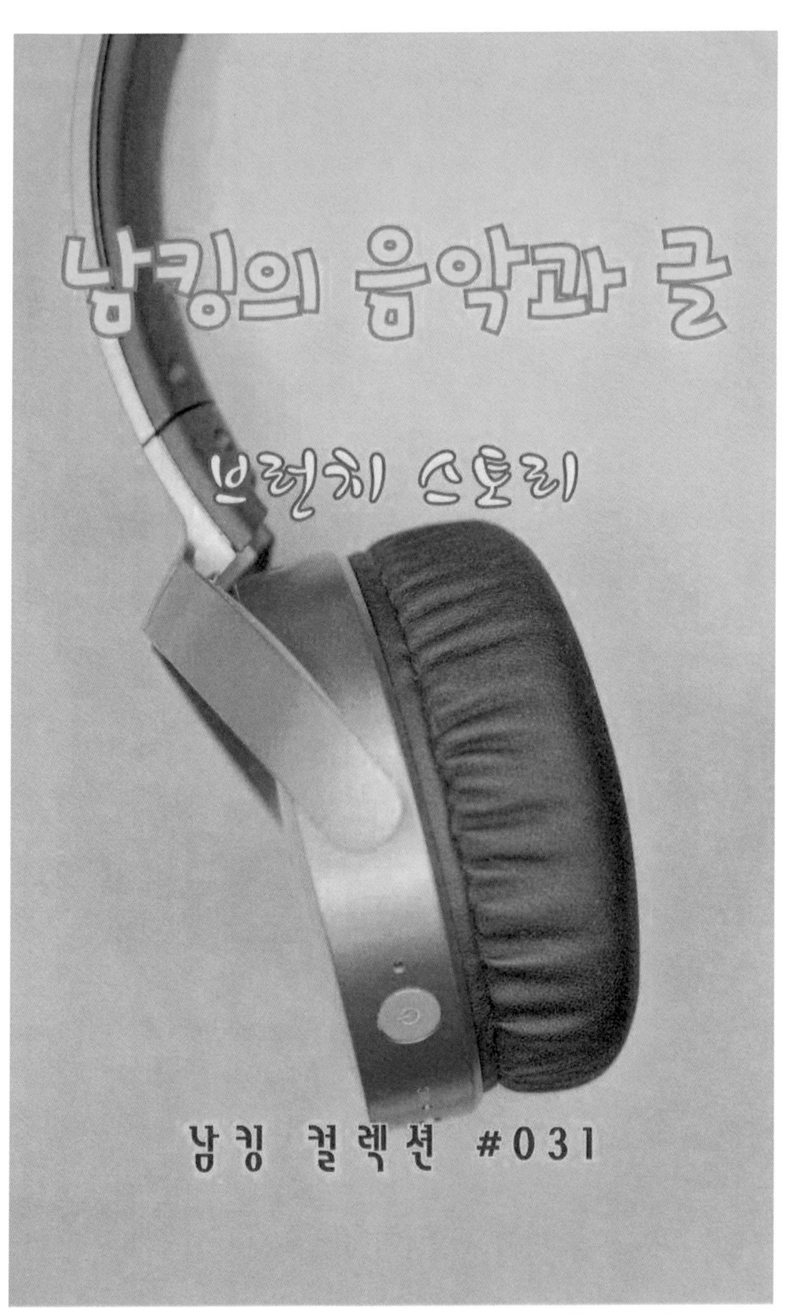
남킹의 음악과 글
브런치 스토리
남킹 컬렉션 #031

이방인 #3

폴란드 2020년 4월 제니아

방은 좁고 투박하고 단순했다.

너무 싸구려에 왔나?

여자가 빙긋이 웃는다. 그녀는 문을 닫고 잠시 침묵에 빠진다. 두툼한 허벅지와 엉덩이에 나의 눈이 딱 멎어버렸다. 제니아는 커튼을 젖히고 창을 연다. 바람이 커튼을 쓰다듬는다. 그리고 속삭인다. 이 밤을 채울 사랑을….

삶을 지탱하는 몰입을….

여자가 연기를 내 뿜는다. 우아한 소용돌이가 그녀를 감는다. 연기가 사라진 속으로 미간을 찌푸린 제니아가, 간들거리며 담배 끝에 달린 재를 불안한 눈으로 쳐다본다. 노면전차 소리가 다시 가까이에 들리고, 여자가 중얼거리는 소리는, 덜컹거리는 반복음에 스며든다. 연기가 제멋대로 흩어진다.

입꼬리가 미소를 표현한다. 설 수 없는 좁은 공간 사이로 끌림과 충동이 춤을 춘다. 나는 그녀의 허벅지를 쓰다듬는다. 그리고 여자의 귓불에 키스한다.

영화 속으로 들어온 것 같아

무슨 영화?

삼류영화…. 시나리오가 절대로 필요하지 않은….

새큰거리는 숨 속에 담배 냄새가 뱄다. 그녀는 다리를 천천히 벌렸다. 그리고 나의 손을 잡고 천천히 깍지를 끼기 시작했다.

여자는 한 번씩 답답한 듯 눈을 불끈거리며 헛기침을 쏟아낸다.

담배를 끊어보지, 그래!

나는 여자의 손에서 담배를 빼서 마치 두 토막 내듯이 크게 두 손으로 허공에 흉내를 낸 다음 다시 돌려줬다. 여자는 무슨 뜻인지 알아차리는 듯했다. 미간을 풀고 나를 빤히 쳐다보며 형언할 수 없이 가득한 애정을 담은 표정을 짓는다. 그리고 곧 슬픔이 가득한 표정으로 바뀐다.

그럴 수 없다는 것을 알잖아요.

여자는 더듬거리며 말을 한다.

사랑해.

내가 가르친 유일한 한국어.

탁자 위에 목걸이가 단정히 누워있다. 나의 첫 선물. 그리고 담뱃갑, 성냥, 라이터, 흩어진 여자의 속옷이 있다. 나는 마치 그녀가 오랫동안 기다려 온 남자인 듯, 여자의 가슴을 주물렀다. 물컹한 촉감이 전하는 삶의 희열. 그녀의 살이 나를 감싼다. 도대체 남자는 왜 이렇게 만들어진 걸까?

삶이 무가치하고 아무런 목적이 없다고 아무리 외쳐도 결국, 여자의 품속에 빠져들고 만다.

굴곡이 도톰하게 이어지는 그녀의 엉덩이. 흐릿한 흔적으로 남은 음모. 나는 늘 자존심이 허락하지 않는, 비굴하고 음탕한 눈빛으로 그녀를 갈구한다. 그녀가 나에게 몸을 주었다는 행복감이 따라다닌다.

여자가 움직인다. 서걱거리는 소리. 울렁이는 침대. 향이 올라온다. 시큼하고 달콤하다.

몸속의 모든 기운이 다 빠진 듯 고저가 없는 쉰 목소리가 흐른다. 나는 다시 키스한다. 끌리는 대로 키스하고 다시 바라본다. 그리고 또 한다. 이젠 습관이 되어버린 듯하다. 무의미한 듯 키스를 남발한다. 온전히 내 것인 양, 그녀의 입술에 내 입술을 갖다 댄다. 그녀가 한숨을 쉬거나 의도적으로 얼굴을 빼기 전까지 그 행위는 계속된다.

내 혀가 그녀의 헤진 입술 사이로 쏙 들어간다. 그녀는 반사적으로 몸을 빼며 미간을 찌푸린다.
나는 싱긋이 웃고 손을 이불 속으로 넣어 그녀의 팬티 선을 따라 천천히 쓰다듬는다. 까칠하게 난 털의 감촉이 손바닥을 지나친다.

제니아의 휴대폰이 갑자기 떨기 시작한다.
여자는 전화를 끊고 한동안 말없이 누워있다. 그 시간만큼 멀어진 느낌을 지울 수 없다. 나는 그녀 곁으로 엉거주춤 다가가며 왜소한 자기 성기를 불만스럽게 쳐다봤다. 말없이 이불을 들치고, 그녀의 풍성한 허벅지에 얼굴을 푹 파묻었다. 지린내와 향수, 럭스 냄새가 같이 올라왔다.
여자의 까칠한 털이 이마를 자극한다. 제니아는 자기 음부에 난 털을 잘 깎지 않는 편이었다. 그게 늘 불만이었지만, 나는 한 번도 그 생각을 그녀에게 털어놓은 적은 없었다. 나는 누군가에게 요구하는 것을 싫어했고, 요구받는 것도 좋아하지 않았다.
덕지덕지 풀들이 자라난 민둥산을 생각했다. 방음은 훌륭하였고 숨소리가 점점 크게 들려왔다. 여자가 머리를 모로 돌리며 거친 비음을 냈다. 하마터면 웃음을 터트릴 뻔한 순간이었다. 하지만 나는 숨도 제대로 쉴 수 없을 만큼 그녀의 사타구니에 탐닉해있었다. 마치 태초의 탄생으로 파 들어가는 느낌이었다.

****

방이 흐트러진 채 놓여있다. 하지만 아침이면, 이 모든 것이 잘 정리되어 있을 것이다. 그리고 잘 포개진 내 속옷을 발견할 수 있을 것이다. 그녀에게 사랑은, 방을 훑어보고 정리하는 것으로 시작하는 것 같다.

쾌락이 빠져나간 몸이 늘어졌다. 무거운 육체의 반대에 가벼운 행복이 놓여있다.

어스름 속에 그녀가 누워있다. 나는 단단하게 성난 성기를 쳐다본다. 섹스하고 얼마의 시간이 흘렀는지 알 수 없다. 고조된 욕망이 끄덕거리는 귀두에 담겨있다.

어둑함 속에 새큰거리는 여자의 숨소리를 느낀다. 고른 규칙에 따라 나는 굴곡진 여자의 허리를 쓰다듬는다. 서글픈 촉감이 전해진다.

뭐해?

여자가 돌아서며 미간을 살짝 찌푸린다. 무반주 성악이 공간을 채운 듯하다. 어느 것 하나 없으므로 내세울 만한 것도 존재하지 않는다.

그냥 시간을 생각했어. 우리가 보낸 시간 말이야.

소중한 거야?

뭔들 중요하고 하찮은 거겠어. 그냥 네가 내 속으로 뛰어든 거야. 그리고 난…. 멈출까 봐 두려운 거고…. 하지만…. 어쩌겠어…. 우리 모두 그런 걱정 속에 놓여있지만…. 그다지 할 수 있는 일도 없으니

말이야….

여자가 돌아눕는다. 한숨이 이어지고, 살포시 눈을 떠는 듯 눈꺼풀을 떨더니 다시 감는다. 나는 휴대폰에 비친 시간을 본다. 이제 2시간도 채 남지 않았다. 좁은 새벽의 침대. 단정한 커튼. 빛이 스며든 곳으로 여자가 누워있다.

모든 것은 찰나처럼 펼쳐진다. 매 순간이 단속적이지만 쾌감을 기억하고, 미련을 질질 끌고 다닌다. 그래 그런 거야. 감각이 주는 황홀함 말이야. 무엇으로 바꿀 수 없을 만큼 강렬하지.

중독은 이런 걸 의미하잖아. 내 의지를 넘어선 것들. 아니 그 찰나의 행복 말고 사실 대관절 내게 남은 의미가 있긴 있을까?

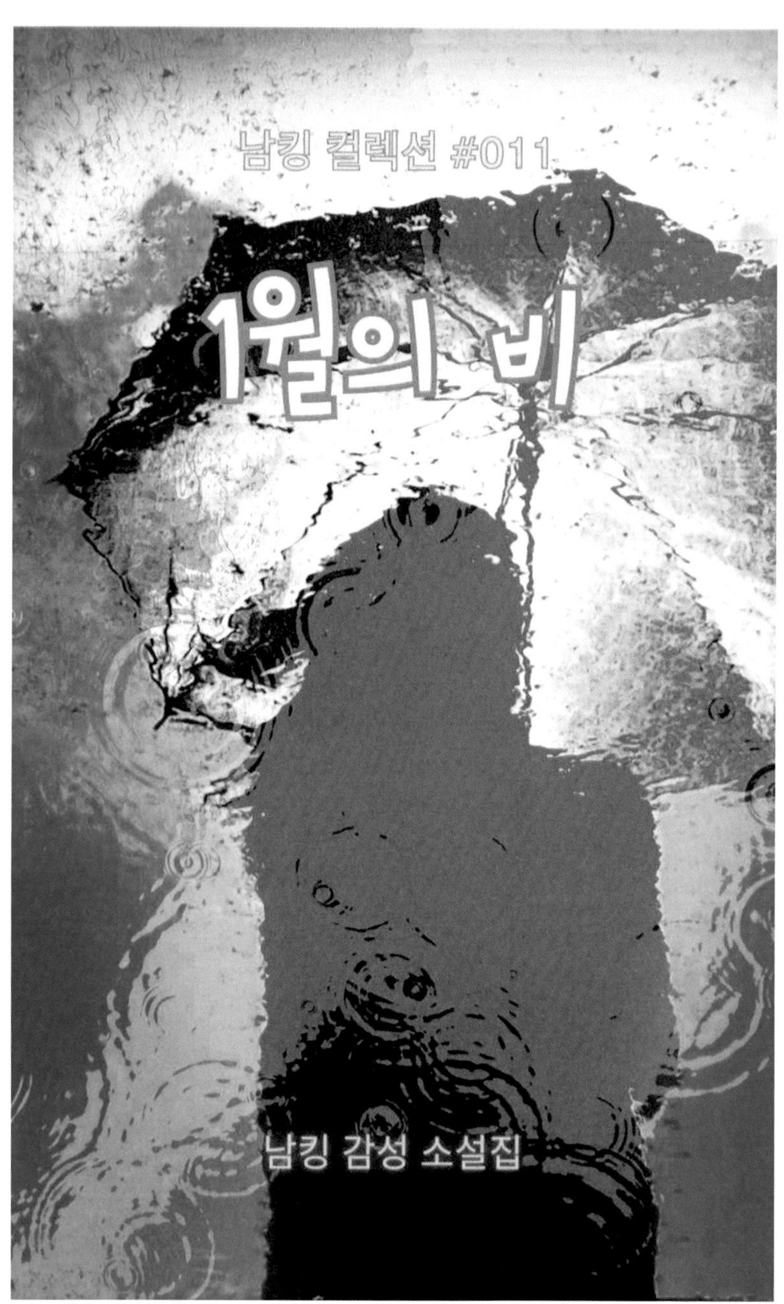
남킹 컬렉션 #011
1월의 비
남킹 감성 소설집

남킹 판타지 소설집

하니은 매화

남킹 컬렉션 #015

NOVELIST

NAM
KING

그레고리 둘라디의 묘한 죽음

남킹

남킹 컬렉션 #001

남킹 컬렉션 #002

거짓과 상상 혹은 죄와 벌

남킹 장편소설

신의 땅
물의 꽃
남킹 장편소설
남킹 컬렉션 #003

심해
DEEP
SEA
남킹 SF 장편소설
남킹 컬렉션 #004

남킹 컬렉션 #005
당신을 만나러
갑니다
남킹 사랑 이야기

블루 드래곤
744
남킹 대본집
남킹 컬렉션 #006

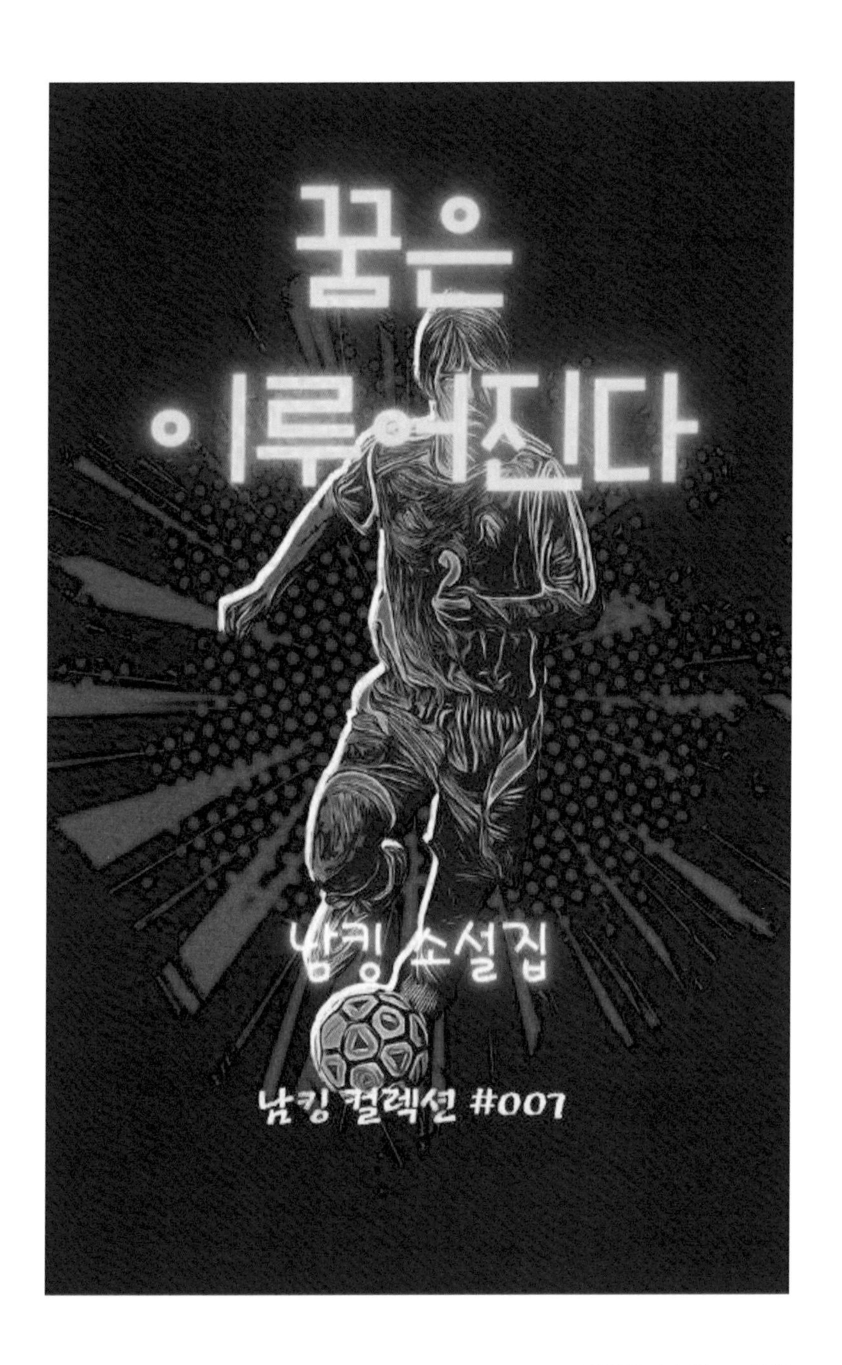
꿈은
이루어진다
남킹 소설집
남킹 컬렉션 #007

파벨 예언서
떠오르는 위협
남킹 장편소설
남킹 컬렉션 #008

떠날 결심
남킹 미니픽션
남킹 컬렉션 #009

리셋
Reset
남킹 SF 소설집
남킹 컬렉션 010

남킹 컬렉션 #011
1월의 비
남킹 감성 소설집

남킹 컬렉션 #012
남킹의 문장 1
언어의 마법사 남킹의 문장들

남킹 컬렉션 #013
남킹의 문장 2
언어의 마법사 남킹의 문장들

남킹의 문장
3
언어의 마법사 남킹의 문장들
남킹 컬렉션 #014

남킹 판타지 소설집
하니은 매화
남킹 컬렉션 #015

남킹 컬렉션 #16
남킹의 문장
4

남킹 컬렉션 #017
스네이크 아일랜드
1권
죽고싶지만 복수는 하고 싶어
남킹 판타지 스릴러

남킹 컬렉션 #018
천일의 여황제
세빈의 남자
남킹 판타지 소설

남킹 컬렉션 #019
이방인
남킹 장편소설

거리를
비워두세요
남킹 음악에세이
남킹 컬렉션 #020

사랑 그 쓸쓸함
에 대하여
남킹 음악산문
남킹 컬렉션 #021

남킹의 문장 1
브런치 스토리
남 킹
남킹 컬렉션 #022

알리칸테는
언제나 맑음
남킹 에세이
남킹 컬렉션 #023

길에 내리는
빗물
남 킹 소 설 집
남킹 컬렉션 #024

서글픈
나의 사랑
남킹 장편소설
남킹 컬렉션 #025

남킹 SF
소설집
브런치 스토리
남킹 컬렉션 #026

버스 민폐녀
남킹 슬픈 이야기
남킹 컬렉션 #027
소설집

브런치 스토리
남킹 사랑 소설집
LOVE
and
KINDNESS
are NEVER WASTED
They bless the one who receives them...
and they bless YOU, the GIVER.
남킹 컬렉션 #028

남킹 스토리
브런치 스토리
남킹 컬렉션 #029

남킹 스토리 2
브런치 스토리
남킹 컬렉션 #030

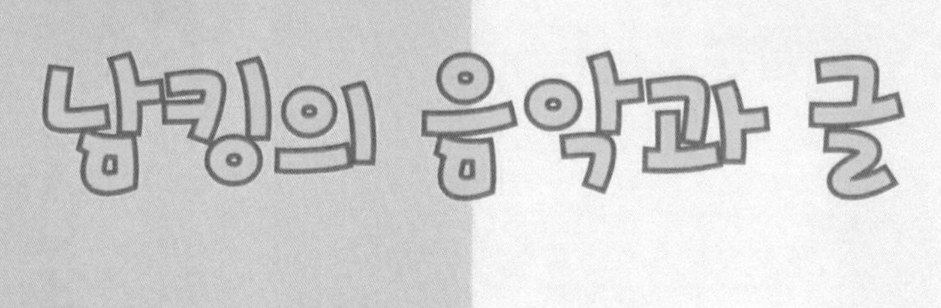

브런치 스토리

남킹 컬렉션 #031

남킹 이야기
브런치 스토리
남킹 컬렉션 #032